Jeunesse

LE CHEVALIER
AU BOUCLIER VERT

ODILE WEULERSSE

LE CHEVALIER
AU BOUCLIER VERT

Illustrations :
Yves Beaujard

HACHETTE *Jeunesse*

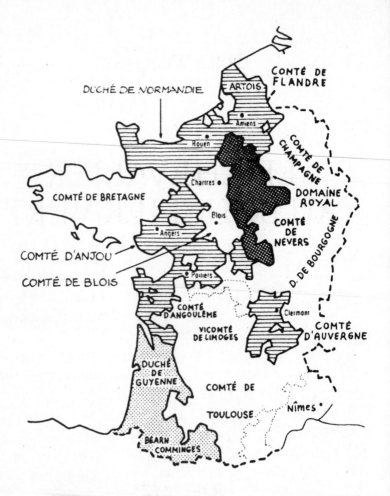

DUCHÉ DE NORMANDIE

CONTÉ DE FLANDRE

ARTOIS

• Amiens

• Rouen

COMTÉ DE BRETAGNE

Chartres •

COMTÉ DE CHAMPAGNE

DOMAINE ROYAL

Blois •

COMTÉ D'ANJOU

• Angers

COMTÉ DE NEVERS

COMTÉ DE BLOIS

• Poitiers

D. DE BOURGOGNE

COMTÉ D'ANGOULÊME

VICOMTÉ DE LIMOGES

Clermont •

COMTÉ D'AUVERGNE

DUCHÉ DE GUYENNE

COMTÉ DE TOULOUSE

Nîmes •

BÉARN COMMINGES

DOMAINE ROYAL SOUS LOUIS VI LE GROS

Note de l'auteur

Au début du XIIe siècle, le pays des Francs est fragmenté en nombreux duchés et comtés appartenant à des seigneurs très puissants.

Au milieu de ces vastes territoires, les terres appartenant au roi ne couvrent qu'une part très restreinte du royaume, de Senlis à Orléans.

Cependant, Louis VI le Gros, roi de 1108 à 1137, tente d'imposer à tous l'autorité royale. Il prend le titre de « roi de France » et, soutenu par l'Église, il combat les seigneurs rebelles pour apporter la paix de Dieu[1].

---

1. Dans le récit, Louis VI le Gros et Suger, abbé de Saint-Denis, sont des personnages historiques. Les autres sont imaginaires.

À Cédric, Olivia,
et Séverine Garnier

1

Un départ précipité

Thibaut saisit un long morceau de bois accroché à sa ceinture, le brandit comme une épée et s'élance vers un jeune bouleau en criant :

« Méfie-toi, chevalier, en garde ! »

Le garçon frappe l'arbre en son milieu et triomphe.

« Juste au cœur, chevalier, maintenant recommande ton âme à Dieu. »

Thibaut s'apprête à recommencer ce brillant exercice lorsqu'il entend :

« Au secours, au secours ! »

Il s'élance aussitôt en direction du cri de détresse

et court à travers la forêt printanière qu'illumine le soleil matinal.

« Au secours ! Au secours ! »

C'est un garçon trapu, planté au milieu du chemin, qui, les mains autour de sa bouche, crie dans toutes les directions :

« Au secours ! »

Thibaut le rejoint et l'apostrophe :

« Qu'as-tu à hurler ainsi, alors que tout est paisible ? »

Le jeune garçon tourne vers lui son visage carré, aux yeux petits et vifs et au large nez aplati.

« Là-bas, une demoiselle ligotée est emmenée sur une mule par deux brigands.

— Et tu ne fais rien pour la sauver ? s'indigne Thibaut.

— Je ne suis qu'un pauvre paysan, fort attaché à la vie. »

Thibaut se précipite immédiatement dans la direction indiquée. Il a vite fait de rejoindre deux malandrins armés de pieux qui entourent une demoiselle bâillonnée, vêtue d'une riche robe fourrée.

« En garde ! » s'écrie Thibaut en brandissant son bâton.

Les deux brigands pointent à leur tour leurs pieux que Thibaut, joutant avec force et adresse, fait voler en éclats. Ses adversaires détalent prestement.

Thibaut défait les liens de la demoiselle, lui enlève

son bâillon et reste étourdi d'émotion. La demoiselle est d'une beauté telle que jamais il n'en vit de pareille : son visage rayonne de lumière, son teint est blanc comme le lait, ses yeux clairs et mystérieux, ses nattes toutes dorées.

« Êtes-vous muet ? demande la jeune fille en sautant gracieusement sur le sol. Cela fait une journée que je suis ligotée sur cette maudite mule et je n'ai pu parler avec quiconque.

— Je me nomme Thibaut de Sauvigny et suis écuyer.

— Je suis Éléonore, et vous remercie de m'avoir sauvé la vie. »

La jeune fille regarde attentivement l'écuyer : il a une quinzaine d'années, une fort jolie figure entourée de cheveux blonds qui bouclent sur la nuque.

« Moi aussi, je vous ai sauvé la vie », déclare une voix énergique.

Le jeune paysan trapu apparaît au détour du chemin.

« Vous ? s'étonne Éléonore.

— Oui, moi, Barnabé.

— Mais je ne vous ai point vu combattre !

— Pourtant, sans moi, cet écuyer ne vous aurait pas délivrée.

— Il dit vrai », acquiesce Thibaut.

Éléonore, gracieusement, s'incline vers le paysan en disant :

« Je vous remercie beaucoup, Barnabé, et vous recommanderai à Dieu dans mes prières. »

Mais le paysan ne bouge pas. Thibaut, importuné par sa présence, fait un geste agacé de la main.

« Maintenant, laisse-nous.

— Oui, laissez-nous », insiste Éléonore.

Mais Barnabé ne part pas.

« C'est qu'il prend racine ! constate Thibaut avec humeur.

— Je l'ai peut-être ensorcelé, ajoute Éléonore, coquette.

— J'attends », explique Barnabé, impatienté par l'incompréhension des deux jeunes gens.

Un long silence suit cette déclaration. Enfin, Thibaut s'exclame :

« De l'argent ! Le vilain sauve la plus belle demoiselle du pays et il veut, de surcroît, de l'argent... »

Éléonore a un sourire espiègle, enlève de sa main droite une bague ornée d'une émeraude et la tend au paysan.

« Je vous la donne. Prenez et laissez-nous. »

Barnabé se précipite, arrache brutalement l'émeraude des mains de la demoiselle et déguerpit à toutes jambes. Thibaut reste immobile de stupeur, les yeux rivés sur le visage rayonnant d'Éléonore.

« Ce que vous faites est pure folie, murmure-t-il. Voulez-vous que je rattrape ce Barnabé ?

— Pourquoi ? Vous pensez que ma vie ne vaut pas une émeraude ? »

Éléonore sourit. Tous deux restent muets, se regardant avec étonnement, tant leur cœur est agité de sentiments inconnus. Autour d'eux, les oiseaux gazouillent, heureux du printemps retrouvé, lorsqu'une voix métallique fait sursauter les jeunes gens :

« Ne craignez rien ! Je retrouverai votre bague ! »

Pieds nus, couvert d'une peau de mouton sur une tunique crasseuse, un homme couleur de terre, au regard inquiétant, s'avance à genoux. Éléonore se rapproche craintivement de Thibaut.

« Qui est-ce ?

— C'est Ruffin. »

Éléonore s'avance d'un pas et déclare avec autorité :

« Ne vous occupez pas de mes affaires et laissez ma bague là où elle se trouve. »

Ruffin roule des yeux étranges.

« Je m'occupe de toute chose, en particulier des jolies demoiselles comme vous.

— Que me veut-il ? » s'inquiète Éléonore.

Thibaut lui prend doucement le bras.

« Je l'ignore. Personne ne peut deviner ce qu'il y a dans la tête d'un sorcier. Mais ne craignez rien. Je vous accompagne chez mon seigneur. »

Les deux jeunes gens quittent la forêt et marchent dans la plaine que surmonte un beau château de bois.

« C'est ici que vous demeurez ? demande Éléonore.

— Oui, c'est ici que j'ai grandi, chez un cousin de mon père, le seigneur de Montcornet. Mon père est son vassal et viendra dès demain accomplir son service annuel pour surveiller le donjon. »

Éléonore parle avec coquetterie.

« Je connais le seigneur de Montcornet. Nous avons dansé ensemble au château de mon père.

— Dansé ensemble ?

— Oui. Ne prenez pas cet air ahuri. Le seigneur de Montcornet est un vassal de mon père, le comte de Blois.

— Ah ! Vous êtes la fille... »

Thibaut ne termine pas sa phrase. Il se sent intimidé, brusquement, par une si puissante famille.

Éléonore se retourne vers lui en riant.

« Hé ! que vous arrive-t-il ? Vous voilà tout pensif et morne. »

*

La servante enfonce la tête de Thibaut sous l'eau. Le garçon se débat un moment, puis ressort sa tête en riant.

« Est-ce ainsi que tu me laves les cheveux ? En me noyant ? »

14

À côté de la grande cuve pleine d'eau chaude, les deux servantes se moquent de lui.

« Dans cette eau s'effacent toutes les méchancetés que tu as faites dans ta vie, dit l'une.

— Plaise à Dieu que tu restes ainsi pur longtemps », dit l'autre.

Et elles recommencent à appuyer sur la tête de l'écuyer. Comme il s'ébroue à nouveau, Thibaut aperçoit son père à travers la vapeur qui remplit la salle ronde du donjon. C'est un homme déjà grisonnant, le dos voûté, qui regarde dans chaque cuve si l'écuyer qui s'y lave est son garçon.

« Thibaut, mon fils, quelle joie ! À peine suis-je arrivé au château, pour accomplir mon devoir de vassal auprès de mon cousin Montcornet, que j'apprends l'heureuse nouvelle : tu vas être adoubé[1] pour avoir sauvé la fille du comte de Blois. »

Thibaut sort du bain en éclaboussant tout autour de lui.

« L'avez-vous déjà vue, père ? Éléonore est si belle que de la regarder je me sens tout troublé. »

Les servantes habillent Thibaut d'une tunique de lin fin, d'une belle robe qui tombe en larges plis jusqu'à ses pieds, tandis que le châtelain de Sauvigny s'abandonne à sa joie.

---

1. Armé chevalier.

« Demain sera le plus beau jour de ma vie : assister à l'adoubement de mon fils unique ! Quel dommage que ta mère soit restée dans notre donjon et ne puisse t'admirer.

— Mais Éléonore sera là, dit Thibaut en souriant. Elle reste pour la fête et partira ensuite vers le château de Blois.

— Ne me parle pas sans cesse de cette Éléonore ! s'exclame le père. Le comte de Montcornet m'a confié qu'il souhaitait la voir épouser son fils.

— La voir épouser Foulque ! »

Sur le visage de Thibaut passent l'ahurissement, puis la consternation.

« Mais qu'as-tu ? » s'étonne son père.

Et, se tournant vers les servantes :

« Il est tout pâle. Peut-être a-t-il eu trop chaud dans son bain ? La jeunesse d'aujourd'hui n'est guère résistante. »

Et le châtelain secoue son fils par les épaules.

« Allez, fils, de la hardiesse ! »

Thibaut se passe la main sur le front et déclare d'un ton rêveur :

« C'est que j'ai vu une image de cauchemar : un fourbe méprisant et déloyal s'approchant d'une demoiselle... C'était comme le loup auprès d'une brebis, comme... »

La servante l'interrompt :

« Mais donne donc ton bras, sinon je n'arriverai jamais à t'enfiler ce manteau fourré de petit-gris[1]. »

Puis, se tournant vers le châtelain de Sauvigny :

« Vous n'avez jamais vu votre fils aussi beau ! Maintenant le voilà prêt pour la veillée de l'adoubement. »

*

Dans le donjon de bois du château de Montcornet, Éléonore et le seigneur se tiennent debout près de la fenêtre ouverte. Tous deux regardent la campagne. Le soleil décline à l'horizon et, sur le chemin qui conduit à l'église, s'éloignent les futurs chevaliers, lavés, parfumés, et richement habillés. Foulque, le seul enfant vivant du seigneur de Montcornet, un long jeune homme de dix-sept ans, est en tête du cortège. Thibaut marche à reculons pour regarder à la fenêtre la demoiselle de son cœur. Éléonore rit.

« Thibaut de Sauvigny est très amusant.

— Oui. C'est un garçon joyeux et turbulent. Son père est mon cousin, mais fort pauvre. Il vit sur une motte misérable.

— Cela n'empêche pas son fils d'être amusant », réplique la jeune fille.

Le seigneur de Montcornet examine attentive-

---

1. Fourrure d'écureuil de Russie et de Sibérie.

ment Éléonore. C'est un homme au regard doux et triste qui s'exprime d'une voix lente.

« Je ne resterai pas longtemps seigneur de ce fief, dit-il...

— Seriez-vous malade ?

— Non. Ma santé est bonne. Écoute-moi. Je souhaite que tu épouses mon fils Foulque. Tu es belle et joyeuse, et...

— Je ne veux pas me marier », déclare sèchement Éléonore.

Le seigneur de Montcornet sourit.

« Pour le moment. Mais sache que bientôt mon fils demandera ta main à ton père.

— Mon père ne fera rien contre mon avis. »

Éléonore regarde le seigneur en riant et ajoute :

« Pour commencer, je verrai demain, au cours des cérémonies de l'adoubement, si votre fils est le plus preux des chevaliers. »

Le seigneur de Montcornet rit de bon cœur.

« Depuis la mort de ma chère femme, c'est la première fois que je ris. Tu es la plus gracieuse jeune fille que je connaisse. »

*

Le soleil se couche lorsque les écuyers arrivent devant le porche de l'église où le Christ de pierre, assis, bénit les arrivants. Thibaut s'incline devant le Seigneur et, le premier, pousse la lourde porte de

19

bois sculpté. Il est heureux de retrouver la familière maison de Dieu à la bonne odeur d'encens. Il sourit aux peintures ocre, vert et bleu qui recouvrent entièrement les murs, aux statues de saints qui lui font un geste affectueux de la main ou lui indiquent le ciel. Les compagnons d'adoubement se répartissent au fond de l'église car il leur est interdit de s'asseoir pendant les dix heures de la veillée.

Le temps passe lentement. La nuit est tombée et l'église est très obscure. La lumière des cierges fait danser les ombres des statues. Thibaut est fatigué de rester immobile et a grande envie de remuer ses jambes. Il se met à genoux pour changer de position et contemple longuement la croix. Il pense à Dieu qui le regarde du haut du ciel. Saura-t-il être un bon soldat du Christ ? Saura-t-il combattre pour le roi et pour l'Église ? Sera-t-il un homme d'honneur jusqu'à sa mort ?

Thibaut sent ses paupières s'alourdir et jette un coup d'œil sur ses compagnons. La plupart ont l'air grave et ému. Foulque ne cesse de bâiller. Il a sommeil, lui aussi. Se pourrait-il que Foulque, ce garçon déloyal et prétentieux, si méprisant pour les chevaliers pauvres, puisse obtenir la main d'Éléonore ? Oh non, Dieu ne le permettra pas. Au contraire, Il lui permettra à lui, Thibaut, d'acquérir grand renom sur la Terre pour mériter la fille du comte de Blois. Et, partagé entre la jalousie, l'orgueil, l'amour pour

Éléonore, l'humilité devant le Christ, il imagine inlassablement les exploits glorieux qu'il accomplira pour l'amour de sa belle et la gloire de son Dieu. Des bruits de pas le sortent d'une demi-torpeur. C'est le prêtre qui vient dire la messe. À l'est, les premières lueurs du jour font resplendir les fenêtres, et l'encensoir qu'agite un jeune enfant remplit l'église de nuages d'encens.

*

Après un copieux déjeuner matinal, les futurs chevaliers se délassent avant la cérémonie de l'adoubement. Profitant de l'affairement général, Foulque sort du château et se dirige vers une colline proche. C'est un monticule pierreux, parsemé de mauvaises herbes, et surmonté par un gibet qui attend quelque pendu. Non loin de là, à genoux, Ruffin ramasse des herbes soigneusement choisies qu'il met dans un baluchon de vieille toile. En apercevant Foulque, il a un sourire narquois qui découvre ses dents noirâtres.

« Que viens-tu chercher ici avec ta fourberie ordinaire ? »

La voix du sorcier est grinçante et Foulque fronce les sourcils de déplaisir.

« Je suis venu te demander un service.

— Un service ! Tu veux dire "quelque méchante action" ? »

Foulque feint d'ignorer l'insolence du vieil homme.

« Je veux être le plus remarquable, cet après-midi.

— Qu'as-tu besoin de moi ? Je ne peux pas caracoler à ta place.

— Ruffin, cesse de m'énerver par des propos impertinents. Sinon j'irai raconter à notre curé tes dernières sorcelleries. »

Le sorcier ricane :

« Le curé me ferait pendre. Et cela te priverait de mes services. Que veux-tu au juste ?

— Donne-moi le moyen de nuire à mon rival, Thibaut de Sauvigny. Mon père dit qu'Éléonore le trouve très amusant et l'apprécie beaucoup.

— Tu parles de la demoiselle, très belle, que l'écuyer a délivrée dans le bois ?

— Comment le sais-tu ?

— Je suis au courant de beaucoup de choses. Et je connais une certaine nouvelle qui t'intéressera grandement et te permettra de confondre ton adversaire.

— Laquelle ? » demande Foulque avec impatience.

Ruffin grommelle :

« Viens dans ma maison. Ici, le vent emporte les paroles. »

*

Deux coups de trompette font vibrer l'air frais du matin. Les jongleurs, accompagnés de leurs luths, vielles et rotes, répondent en chantant en chœur. La cour du château est remplie de monde : belles dames aux longues tresses et aux vêtements de soie, chevaliers des environs dans leur plus beau manteau, enfants qui courent et crient gaiement. Des serviteurs déroulent au milieu de la cour un tapis.

Quand Thibaut, le premier adoubé, car le plus jeune, s'avance sur le tapis, un silence recueilli se fait dans l'assistance. Thibaut sent la fierté inonder son cœur. Un peu maladroitement, son père, qui lui sert de parrain, se baisse, lui lace les chausses de fer qui enveloppent ses jambes et attache à ses pieds deux éperons[1] d'argent. Ensuite, il lui enfile le haubert, longue robe de mailles de fer qui enveloppe la tête, les bras et le corps jusqu'aux chevilles. Puis il pose sur la tête de son fils le heaume, casque de fer qui protège le crâne et le nez. Enfin, lentement, malgré ses doigts épais et malhabiles, il noue les petits lacets de cuir qui attachent le heaume à la cotte de mailles.

Maintenant que le garçon est préparé pour l'adoubement, le seigneur de Montcornet s'approche. Il tient une épée au pommeau vermeil.

« Thibaut, mon neveu, je te donne l'épée que mon oncle m'a confiée, avant de mourir en Terre

---

1. Pièce de métal fixée au talon du chevalier pour piquer les flancs du cheval.

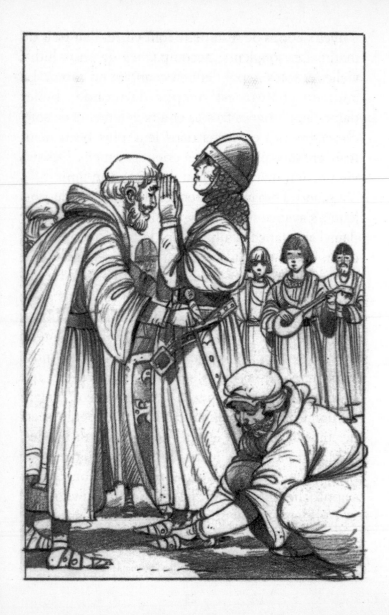

sainte. Je compte sur ta vaillance pour maintenir l'honneur de notre lignage. Sache que cette épée a combattu fièrement les infidèles et qu'elle contient dans son pommeau un morceau de la vraie Croix du Christ. Pour cette raison, elle se nomme *Santacrux*. Fais-en un digne usage au service de Dieu. »

Thibaut ferme les yeux. Il sent le baudrier passer autour de son cou, et puis l'épée, la longue épée, qui vient battre son flanc gauche. Sa main s'empare du pommeau et l'étreint violemment. Dorénavant s'ouvre devant lui le chemin des prouesses et la joie emplit son cœur. Il voudrait crier d'allégresse, lorsque le seigneur lui dit :

« Maintenant, courbe la tête, je vais te donner la colée. »

Thibaut baisse la tête et reçoit sur la nuque un si vigoureux coup de paume qu'il chancelle. Le seigneur l'embrasse en souriant et dit :

« Tu es désormais chevalier. Honore les chevaliers. Donne aux pauvres, aime Dieu. Que le Christ, qui fut mis en croix, te défende contre tous ennemis. »

Thibaut répond en regardant fièrement le seigneur :

« Je vous remercie, beau sire. Que je serve Dieu et qu'Il m'aime. »

*

Thibaut exulte en découvrant la monture que lui donne son seigneur. C'est un magnifique cheval brun, jeune, fringant, nerveux, tel qu'il en rêvait. Thibaut recule de quelques pas, prend son élan, saute en selle. La foule, regroupée dans la plaine, applaudit en criant :

« Sans étrier ! Il n'a pas touché l'étrier ! »

Thibaut jette sur l'assistance un regard fier et heureux. Le seigneur de Montcornet s'approche et lui tend un grand bouclier vert.

« Chevalier Thibaut, je te donne ce bouclier fabriqué à Lyon, sur le Rhône. Il n'y en a pas de meilleur sur Terre. Sa couleur est celle de la jeunesse et de l'audace. Que ton caractère hardi porte loin ton courage et ne nuise jamais à ton honneur. »

Puis le seigneur lui tend une lance longue de huit pieds. Aussitôt Thibaut se met à caracoler sous les applaudissements de la foule. C'est alors que Foulque, à pied, pénètre sur le terrain réservé aux cavaliers, le traverse et se dirige vers Éléonore. L'assistance murmure de surprise. Thibaut s'approche à cheval. Foulque s'incline devant la demoiselle, tend la bague et dit à haute voix :

« Voilà la bague qu'un paysan t'a volée. »

Puis Foulque se tourne vers son père.

« Sachez, père, que cette émeraude a été dérobée par un paysan sous les yeux de Thibaut de Sauvigny sans que ce dernier tente de le poursuivre.

« — Est-ce vrai ? demande le seigneur de Montcornet à Éléonore.

— Oui... enfin non... enfin pas du tout. C'est moi
qui ai donné ma bague à ce paysan, pour le remercier de m'avoir sauvé la vie. »

Foulque s'étonne.

« Veux-tu dire que ce paysan s'est battu pour toi ?

— Non, non, mais je lui ai donné ma bague
quand même. »

Le seigneur de Montcornet s'esclaffe :

« Tu aurais donné ta bague à un paysan ! Personne ne peut croire une pareille folie. Mais je
trouve généreux de ta part de venir au secours de
Thibaut de Sauvigny.

— Mais enfin, insiste Éléonore, énervée et les
larmes aux yeux, je peux faire ce qu'il me plaît de
mes bijoux : je peux les jeter dans la rivière, les casser avec un maillet, les donner à un paysan, les... »

Thibaut saute à bas de son cheval et s'incline
devant le seigneur.

« Il est vrai que je n'ai pas couru derrière le paysan. C'est que j'étais tout joyeux de voir cette demoiselle.

— C'est une mauvaise excuse pour se conduire
avec lâcheté », constate le seigneur.

Thibaut prend un visage contrit.

« C'est que, lorsque je suis joyeux... »

Déjà le seigneur ne l'écoute plus. Il regarde un

autre chevalier qui cherche à sauter, sans étrier, sur son cheval et qui retombe maladroitement sur le sol. La foule rit, crie et siffle.

Thibaut est si malheureux qu'il voudrait disparaître sous terre. Comment oser affronter le regard d'Éléonore, après avoir été ridiculisé par Foulque ? Après avoir laissé la demoiselle se débattre dans une situation humiliante ? Rouge de confusion, il fixe le sol avec obstination.

*

Un croissant de lune apparaît dans le ciel encore clair, lorsque le seigneur de Montcornet ordonne :

« Levez la quintaine. »

Aussitôt, dans la vaste prairie, des écuyers dressent une haute pièce de bois à laquelle sont attachés des boucliers de toutes couleurs. Foulque, le premier, se lance en avant, galope vers le mannequin de fer et heurte durement un bouclier qui résonne dans le silence du soir. Thibaut, à son tour, fait courir son cheval et frappe le mannequin lorsqu'il entend la voix de Foulque :

« Mon père a eu tort de t'adouber. Tu n'es qu'un lâche.

— Et toi, tu n'es qu'un fourbe, aux actions déloyales. »

L'épouvantail d'acier, frappé de tout côté, fait un

vacarme insupportable et Foulque s'égosille pour se faire entendre :

« Eh bien, c'est à ce fourbe que tu devras prêter hommage.

— Que dis-tu ? Je n'entends pas bien. »

Foulque s'égosille de plus belle :

« Je dis que bientôt tu deviendras mon vassal.

— C'est impossible !

— Mon père se retire dans une abbaye près de Paris pour se consacrer au service de Dieu. Il veut se préparer à la vie éternelle. »

À ce moment-là, le mannequin de fer s'écroule dans un terrible fracas. Quand le silence est revenu, Foulque répète à Thibaut :

« Dans quelques jours, tu me prêteras serment comme vassal ! »

Et il fait cabrer son cheval d'un air triomphant.

*

Le châtelain de Sauvigny est abasourdi.

« Tu veux partir maintenant ?

— Oui, je ne prêterai jamais hommage à Foulque de Montcornet. »

Le père, consterné, hoche la tête.

« Que deviendras-tu ? Tu as besoin de la protection d'un seigneur puissant. Veux-tu passer ta vie, comme moi, dans une misérable tour de bois mal entourée de pieux ? Reste avec Foulque. Tu auras richesse et agrément.

— Je ne servirai pas un seigneur pour qui je n'ai ni estime ni confiance et qui m'a rendu ridicule.

— C'est ridicule aussi d'être chevalier errant.

— Être chevalier errant permet d'acquérir grand renom et grande gloire.

— Il faut être fou pour voyager seul », s'obstine le père.

Thibaut lève la tête avec noblesse.

« Maintenant que je suis chevalier, je suis au seul service de Dieu et n'appartiens plus à personne. »

Le châtelain de Sauvigny soupire tristement.

« Que le Seigneur te protège de tous dangers et de toute honte.

— Et toi, père, que Dieu te garde en longue vie. »

Le châtelain prend le jeune chevalier dans ses bras et le serre contre son cœur.

« Va, fils. Que tu aies joie et très bonne aventure. »

*

Pendant toute la nuit, Thibaut attend à la lisière de la forêt. La perspective de quitter Éléonore sans connaître ses sentiments lui est intolérable. Pense-t-elle qu'il aurait dû courir après le paysan ? Ou bien se battre en duel contre Foulque pour se venger de ses insultes ? L'a-t-elle jugé peureux et lâche ? Le dos appuyé contre le tronc d'un hêtre, il songe aux moyens de se retrouver seul à seule avec la demoiselle.

À l'aube claire, de l'autre côté de la plaine, il voit s'abaisser le pont-levis du château. Un chevalier en sort au galop en brandissant la bannière d'azur à bande d'or des Montcornet. Il est suivi par un groupe de cavaliers qui entourent une demoiselle, gracieusement montée en amazone sur un palefroi gris.

« C'est Éléonore qui s'en retourne à Blois, songe Thibaut, sans que j'aie pu la rencontrer. »

Machinalement, il essuie une larme qui descend lentement sur sa joue.

« Vous aussi, chevalier, vous êtes en grand souci ? »

Thibaut se retourne et découvre Barnabé, la mine sombre et abattue.

« À cause de toi, j'ai été humilié devant la fille du comte de Blois, dit le chevalier.

— Et moi, à cause de la fille du comte de Blois, je risque d'être pendu si Foulque de Montcornet me retrouve. Pour cette émeraude que la demoiselle m'a donnée. Car elle me l'a donnée, n'est-ce pas ? Elle a même insisté pour que je la prenne. »

Thibaut a un faible sourire.

« Enfin, tu as insisté aussi, à ta manière. »

Barnabé s'énerve :

« Voulez-vous dire que je l'ai volée ?

— Non, non, elle te l'a donnée, c'est certain. Mais c'était une folie.

— Je n'ai pas à juger les folies des demoiselles. » Les deux garçons gardent un moment le silence.

« Si je ne vous avais pas rencontré, rien de tout cela ne me serait arrivé, commente enfin Barnabé.

— À moi non plus, ajoute Thibaut, qui se prend à sourire. Sans toi, où serait Éléonore ? Morte, peut-être. »

Et, le cœur palpitant de reconnaissance, Thibaut regarde la bonne figure carrée du paysan et ses yeux malins.

« Quel âge as-tu ?

— J'ai quatorze ans. Je suis majeur.

— Saurais-tu faire briller les mailles de mon haubert, lacer mon heaume, étriller mon cheval, porter ma lance et mon bouclier, t'occuper de mes habits et rendre tous les services nécessaires à un chevalier ? »

Le regard de Barnabé brille d'excitation.

« Vous me prenez comme écuyer ? »

Thibaut acquiesce de la tête lorsqu'un bruit de galop leur parvient.

« Cachez-vous ! s'écrie Barnabé en se précipitant dans un fourré.

— C'est Éléonore, s'exclame Thibaut en voyant la petite troupe apparaître à un tournant de la forêt. Viens, je vais lui parler. »

Barnabé reste invisible. Thibaut saute sur son cheval et s'interpose devant les cavaliers qui s'arrêtent.

« Que veux-tu, chevalier ? demande le porte-bannière.

— Saluer la fille du comte de Blois avant de partir à l'aventure. »

Les chevaliers s'écartent. Éléonore s'avance dans un beau manteau de soie fourré de vair et sourit.

« Dieu vous garde, chevalier, je n'oublierai jamais que vous m'avez sauvé la vie. »

Thibaut, devant le visage rayonnant d'Éléonore, se trouble, rougit et balbutie :

« Vous n'allez pas épouser Foulque de Montcornet, ce fourbe, ce rusé, ce cœur sans foi ? »

Éléonore s'indigne avec coquetterie.

« Par Dieu, quelle colère et quels emportements ! De quel droit jugez-vous de mon cœur ? Croyez-vous qu'il ne sache pas reconnaître un chevalier hardi et preux ? »

Et, fouettant son cheval, elle part au galop. Sa suite aussitôt l'accompagne. Thibaut, désemparé, suit des yeux la petite troupe qui disparaît dans le lointain. Barnabé sort du fourré où il s'était caché.

« Je m'étais mis à l'abri pour mieux vous porter secours s'il vous arrivait malheur, explique-t-il.

— De quoi parles-tu ? s'étonne Thibaut encore tout étourdi par les paroles de la demoiselle. Dis-moi plutôt : qu'as-tu compris des propos d'Éléo-

nore ? Voulait-elle dire que Foulque est un chevalier preux et hardi ?

— J'ai compris qu'il faut s'en aller de ce pays
rapidement. Vous, pour conquérir gloire, aventure,
renom et tout ce dont vous avez besoin pour votre
demoiselle, moi, pour rester en vie.

— Crois-tu qu'Éléonore pensait à moi en parlant
d'un chevalier exceptionnellement vaillant ?

— Je pense que, pour quitter les terres de Montcornet, il faut sortir de ce chemin, car un sergent
nous demandera une obole ou une gerbe de blé
pour franchir le pont[1]. Suivez-moi. Je sais où trouver une barque pour vous et votre cheval.

— Mais réponds-moi donc. Qu'as-tu compris
des propos d'Éléonore ?

— C'est seulement de l'autre côté de la rivière,
au-delà du territoire du seigneur de Montcornet,
que je réfléchirai en tant que votre écuyer. Ici, je suis
encore un serf, là-bas, je serai un homme libre. »

---

1. Le seigneur prélevait une redevance sur les ponts, les moulins, les tavernes.

2

Le manteau fourré
de petit-gris

Pendant de longues heures, le chevalier et l'écuyer marchent à travers bois et landes. Thibaut se tient bien droit sur son cheval, malgré les trente mille anneaux de fer de son haubert qui pèse trente livres, malgré le poids du heaume. Bravement il dresse son bouclier et sa lance, mais son cœur est lourd. Il songe à tous les compagnons qui sont restés au château, aux joyeux repas, aux fêtes et aux danses. Il songe à Éléonore, adulée à la cour de Blois. Austère lui paraît le chemin du chevalier errant en quête d'aventures. Barnabé traîne le pas et trouve le temps long.

« Il est plus de midi et je commence à avoir faim, remarque-t-il.

— Pourquoi es-tu de mauvaise humeur ? s'étonne Thibaut pour donner l'exemple du courage. Regarde la belle plaine qui s'étend à nos pieds, et cette vaste forêt sur le côté, là-bas.

— C'est que, moi, je ne suis pas à cheval, et qu'ainsi je vois moins loin que vous. Je ne vois même que mes pieds et la poussière du chemin. »

Thibaut jette un coup d'œil sur son écuyer dont les chaussures et les chausses sont devenues grisâtres.

« Au premier bourg que nous rencontrerons, je vendrai mon beau manteau et je t'achèterai une monture.

— Voilà une générosité digne d'un chevalier ! » s'exclame Barnabé, enchanté.

Peu de temps après, les deux garçons pénètrent dans une forêt haute et dense. Les feuilles vert tendre des arbres cachent déjà le ciel et, hormis quelques porcs qui grattent la terre en quête de racines comestibles, l'endroit est désert. Progressivement les arbustes se font plus épais, la lumière plus rare, le silence plus pesant.

« Nous allons nous perdre dans cette forêt. Il serait prudent de faire demi-tour, suggère Barnabé.

— Pourquoi donc ? Les forêts denses et touffues

ressemblent à des églises de verdure. On y sent la présence de Dieu. »

Le chevalier et l'écuyer font encore quelques pas lorsque surgit d'un buisson un mendiant qui se plante au milieu du chemin. Il est vêtu d'une vieille couverture, sa figure et ses membres sont couverts d'ulcères rouges et noirs.

« Chevalier au noble visage, dit-il d'une voix de crécelle, aie pitié d'un malheureux qui ne voulait pas devenir mendiant et dont tout le corps n'est que plaies et souffrances. »

Thibaut regarde le pauvre hère qui frissonne sans arrêt sous l'effet d'une forte fièvre. Apitoyé, il dégrafe son manteau doublé de petit-gris et le tend à l'homme malade.

« Tiens, prends ce manteau qui te protégera du froid.

— Mais c'est mon manteau, hurle Barnabé, celui que vous devez vendre pour m'acheter un cheval. »

Et d'un geste hâtif, avant que le mendiant n'ait pu s'en emparer, Barnabé saisit le vêtement au vol.

« Que fais-tu ? s'indigne Thibaut. Tu m'empêches de secourir les pauvres, comme le veut la morale de la chevalerie. »

Barnabé hoche la tête d'un air buté.

« Je ne suis qu'un simple écuyer et, de surcroît, un écuyer sans cheval. Je n'ai que faire de la morale des chevaliers. Dorénavant, je garde votre manteau en attendant un riche acheteur. »

Et soupçonneux, il serre le vêtement sous son bras.

Le visage du mendiant se durcit sous la colère et l'homme pousse un long et sinistre sifflement. Aussitôt une douzaine de gaillards, aux mines lugubres, sortent des broussailles et se précipitent sur Barnabé pour lui arracher le beau manteau fourré.

« À moi, *Santacrux* ! » s'écrie Thibaut qui s'élance contre les attaquants.

Le chevalier ferraille hardiment, mais les brigands sont supérieurs en nombre. L'un d'eux, grand et fort, tenant à la main une longue massue, frappe si violemment le bouclier vert qu'il fait sauter la courroie qui le retient. Thibaut, désormais sans protection, lutte dangereusement contre les épieux pointus de ses adversaires. Dès que les bandits réussissent à arracher le manteau fourré de petit-gris, ils prennent la fuite. Thibaut met pied à terre et s'approche de l'écuyer qui sanglote, la face contre le sol.

« Je n'aurai jamais de cheval ! Je marcherai toujours à pied ! »

Thibaut a un sourire amusé.

« Que cela te soit une leçon. Ta conduite égoïste ne t'a servi à rien. À l'avenir, respecte le code d'honneur de la chevalerie. »

Barnabé se redresse, fait une moue peu convaincue, et s'inquiète :

« Mais vous êtes blessé ! »

Un épieu, en effet, a fait sauter les mailles de la tunique de fer et a pénétré dans l'épaule du chevalier.

« Allongez-vous, conseille Barnabé, vous devenez tout pâle et perdez votre sang. Je vais chercher du secours. »

Barnabé part en courant, tout en bougonnant contre la belle et bonne aventure.

*

Au milieu d'une petite clairière, Barnabé aperçoit une cabane de bois et de branchages. Une fumée noirâtre sort d'un trou pratiqué dans le toit.

« Enfin un être vivant ! » songe-t-il.

L'intérieur de la cabane est en grand désordre. L'écuyer distingue un feu surmonté d'une vieille marmite noire et graisseuse. Sur le sol, traînent une perdrix à moitié plumée, un panier rempli d'herbes, des sabots éculés. Dans le coin le plus sombre, une vieille femme se tient accroupie, le corps énorme, les cheveux carotte en broussaille, le teint jaune comme un citron, les yeux brillants comme les flammes de l'enfer. Saisi d'épouvante, Barnabé fait le signe de croix. La femme émet alors une longue et triste plainte comme le bêlement d'une chèvre.

« Toi aussi, tu me prends pour une créature du Diable, dit-elle en découvrant une bouche édentée.

— Non... non..., balbutie Barnabé, non... pas du tout... vous vous trompez... »

La femme émet à nouveau sa lugubre plainte.

« Menteur, je t'ai vu faire le signe de croix. »

Puis elle ordonne d'une voix caverneuse :

« Sors d'ici. J'attends quelqu'un. »

Barnabé, résolu à sauver son maître, prend sa voix la plus aimable :

« Très honorable dame, mon maître est en train de mourir d'une profonde blessure. Connaissez-vous, près d'ici, quelqu'un qui puisse le guérir ?

— Sors d'ici immédiatement », vocifère la sorcière, en se dressant sur ses jambes avec une agilité inattendue.

Elle empoigne alors un balai et poursuit le jeune garçon. Mais celui-ci s'éloigne à reculons, évitant à la fois le balai et les objets qui traînent sur le sol.

« Je vous dis que mon maître va mourir. C'est un chevalier jeune, beau, courageux, les boucles blondes, le teint frais... »

La vieille femme brandit toujours son balai en maugréant :

« Vas-tu partir ! J'attends quelqu'un. »

Barnabé continue à reculer et à parler :

« ... Généreux, preux, respectant les lois de la chevalerie... »

Puis il ajoute avec une grande rapidité :

« Il est fils unique, son père est vassal du seigneur de Montcornet, il est pauvre, il est turbulent, il a un bouclier vert... »

Alors la lourde femme pose son balai sur le sol et sourit de toutes ses gencives.

« C'est lui que j'attends. »

Barnabé l'examine d'un air surpris.

« C'est lui que j'ai vu en rêve cette nuit : un chevalier sans visage mais portant un bouclier vert. Allez, cours, montre-moi où il se trouve. »

Barnabé détale à toutes jambes, mais la sorcière le talonne avec la légèreté d'un chevreau, en le harcelant sans arrêt :

« Dépêche-toi, mais dépêche-toi donc ! n'as-tu jamais appris à courir ? Paresseux, fainéant, traîne-savates, limace ! Si je trouve ton chevalier mort, je t'étranglerai de rage. »

Thibaut est étendu sans connaissance, le haubert maculé de sang.

« Délace son heaume, ordonne la vieille femme. Vite. »

Barnabé s'empresse de lui obéir.

« Maintenant va me chercher des champignons dans la forêt.

— Mais pourquoi ?

— Obéis sans poser de questions. »

Barnabé s'éloigne d'un pas traînant.

« Pourquoi veut-elle se débarrasser de moi ? se demande-t-il. Qu'est-ce qu'elle va faire à mon maître ? »

Soupçonneux, il se dissimule derrière un tronc d'arbre. Mais, comme si elle avait des yeux derrière la tête, la sorcière se retourne et crie :

« Plus loin, va plus loin ou je te frappe. »

Barnabé s'éloigne à regret. Une fois débarrassée de l'écuyer, la vieille femme s'approche de Thibaut et lui parle avec une surprenante douceur :

« Chevalier, fais bien attention à ce que tu vas faire, car ma vie en dépend. »

Lentement, elle sort de sa besace une boucle de ceinture vermeille. Elle l'ouvre. À l'intérieur, se trouve une pierre qu'elle pose sur le front de Thibaut. Un long moment se passe. La blessure cicatrise progressivement et les joues du garçon reprennent des couleurs. Thibaut respire de plus en plus profondément et sa bouche esquisse un sourire.

« Comme je suis bien, dit-il. Je me sens tout joyeux. »

Puis il ouvre les yeux, regarde avec tendresse l'horrible sorcière et lui sourit.

« Qui êtes-vous, belle dame ?

— Qu'as-tu dit ? demande la vieille femme.

— Qui êtes-vous, belle dame ? »

La sorcière sourit à son tour.

« Dieu soit loué : tu as dit "belle dame". Merci, chevalier. »

Alors, sous le regard stupéfait de Thibaut, les cheveux carotte se transforment en une magnifique chevelure fauve, les yeux deviennent couleur d'amande, le teint blanc comme neige, les dents petites et bien serrées, et la vieille couverture de laine un splendide manteau de soie.

« Dites-moi si je rêve encore ou si je suis éveillé ? s'inquiète Thibaut.

— Tu es éveillé et tu m'as délivrée d'un maléfice. Un enchanteur m'a transformée en sorcière jusqu'à ce qu'un chevalier me sourie et me complimente au lieu de me prendre pour une créature du Diable.

— C'est que je suis tout joyeux, et quand je suis joyeux, le monde entier me paraît merveilleux. Mais qu'est-ce que c'est ? demande-t-il en touchant la pierre sur son front.

— Assieds-toi et écoute-moi bien. Je suis magicienne et te donne une pierre qui a le pouvoir de guérir toutes tes blessures. Cache-la dans cette boucle vermeille qui fermera ta ceinture. Mais surtout, ne la donne à personne, car sur un autre corps que le tien elle provoquerait une maladie mortelle. Maintenant je te quitte. Surtout garde secret le pouvoir de cette pierre.

— Vous reverrai-je un jour ? demande Thibaut.

— Tu pourras toujours me rejoindre ici, dans la forêt de Biroquie. Mon nom est Hadelize.

— Mais cette forêt est très grande et il sera difficile de vous y trouver.

— Tu demanderas où se trouve le chêne aux trois nids d'hirondelle. C'est là que je demeure. Adieu. »

Hadelize disparaît immédiatement, comme par enchantement. Peu de temps après, Barnabé revient, relevant le bord de son manteau rempli de champignons. En découvrant son maître éclatant de santé, le haubert propre et reluisant, il s'étonne :

« La sorcière vous a guéri ?

— C'est en réalité une très belle magicienne, du nom d'Hadelize.

— Sorcière ou magicienne, elle s'est bien moquée de moi en m'envoyant ramasser ces plantes. »

Et, vexé, il laisse tomber à terre tous ses champignons.

*

Le lendemain matin, à l'heure où le soleil apparaît à la cime des arbres, Thibaut et Barnabé avancent sur le chemin pierreux d'un vaste plateau. Un héraut, assis sur une mule, se rapproche d'eux et annonce :

« Samedi prochain, le samedi après Pâques, se tiendra à Juvignole, près de Blois, un tournoi, un grand tournoi avec des chevaliers de tous les comtés des environs.

— Y aura-t-il la famille du comte de Blois ? demande Thibaut.

— Je l'ignore et dois te quitter car j'ai un long chemin à parcourir. Que Dieu te garde. »

Thibaut ferme les yeux d'émotion.

« Barnabé, pendant ce grand tournoi, je jetterai à terre une dizaine de chevaliers. Éléonore se lèvera dans les loges, et m'applaudira, transportée d'admiration et d'amour. »

Et, radieux, il regarde son écuyer.

« Mais pourquoi fais-tu cette triste figure ? »

Barnabé montre ses chaussures rapiécées, sa robe à moitié déchirée, ses chausses élimées.

« Dites-moi quelle gloire nous pourrons acquérir dans le pitoyable état où votre écuyer se trouve. Tous les chevaliers se moqueront de ma misérable tournure et votre demoiselle se tordra de rire. »

Thibaut est dépité.

« Tu m'empêches toujours de rêver », dit-il avec reproche.

Puis il jette un coup d'œil alentour et ajoute :

« Tu as raison, Barnabé. Je partage ton avis : tu es un écuyer dégoûtant. Que veux-tu ? Un beau cheval brun à la queue fière et haute ?

— Par Dieu, volontiers ! s'exclame l'écuyer. Mais

je doute que vous puissiez me donner, à l'instant, pareille merveille.

— Pourtant, voilà ta monture, répond Thibaut en montrant, au bout du plateau, un chevalier en armes, le bouclier au cou, la lance au poing, suivi d'un écuyer confortablement installé sur son beau destrier brun. »

Dès que le chevalier inconnu est à portée de voix, Thibaut s'avance vers lui :

« Chevalier, veux-tu jouter avec moi ? »

L'inconnu examine son rival, jette un regard méprisant sur Barnabé et éclate de rire.

« Tu dois être bien jeune dans la chevalerie pour oser t'attaquer à moi. Ne reconnais-tu pas ma bannière ?

— J'ignore qui tu es, mais un preux ne recule pas devant le danger.

— Sache qu'en face de toi se tient Ernaud le Fier, célèbre dans le pays des tournoyeurs. Maintenant, laisse-moi passer, car folie n'est pas courage.

— J'aurais grande honte si je suivais ton conseil. »

Ernaud paraît très agacé.

« Puisque tu es assez téméraire pour oser m'affronter, recommande ton âme à Dieu. Mais sache que je regrette un combat aussi inégal. »

Il dégrafe son manteau, dresse son bouclier, brandit sa lance. Thibaut se prépare à son tour. Les deux cavaliers se défient, la lance en arrêt, puis foncent l'un vers l'autre. Thibaut part avec une telle vigueur que sa lance se brise contre le bouclier de son adversaire. Celui-ci, désarçonné par la violence du coup, roule sur le sol. Thibaut saute à terre à son tour et tous deux tirent en même temps leurs épées nues.

« À moi, *Santacrux* ! » s'écrie Thibaut.

Les deux combattants s'affrontent avec une ardeur farouche, se donnant de grands coups sur le heaume et le haubert. Longtemps les épées se heurtent sans repos. Puis, d'un saut rapide et habile, Thibaut tranche les lacets qui attachent le heaume au haubert de son adversaire. Le visage à découvert, Ernaud continue cependant à se battre. Mais Thibaut, avec toute la folie de son âge, s'approche une nouvelle fois de son adversaire et coupe la sangle de son bouclier. Désormais, Ernaud se retrouve sans protection. Aussi Thibaut remet-il son épée au fourreau.

« Arrêtons là le combat, dit-il. Ta mort me serait cruelle.

— Tu es un chevalier de grande prouesse. Que veux-tu comme rançon ? demande le vaincu.

— Tes deux chevaux, tes armes, ton manteau et les vêtements de ton écuyer. »

Puis Thibaut se tourne vers Barnabé.

« Donne à l'écuyer ta vieille robe, afin qu'il ne se

promène pas tout nu dans la campagne et charge-toi des chevaux. »

Et, sans attendre davantage, Thibaut continue son chemin.

*

Le vendredi suivant, après avoir chevauché toute la journée, Thibaut et Barnabé arrivent en haut de la colline qui domine Juvignole. De là, ils aperçoivent dans les ruelles du village les chevaliers, à pied ou à cheval, qui se bousculent au milieu des demoiselles et des dames. Partout des bannières flottent aux fenêtres. Thibaut remarque au bord du chemin une étoffe sur laquelle est écrit : *À Juvignole, Foulque de Montcornet, avec dix chevaliers, se tiendra prêt à jouter contre tous.*

Thibaut arrête son cheval et relit plusieurs fois l'inscription.

« Enfin, je vais pouvoir me venger de mon humiliation. Chaque fois que j'y pense, et j'y pense tous les jours, la honte m'envahit jusqu'à la racine des cheveux.

— C'est moins grave qu'un corps en lambeaux, tout transpercé de coups. »

Thibaut rit.

« Préférerais-tu vivre sans belles chevauchées, sans tambours ni bannières, sans danger ni courage ?

— Oui. J'aimerais des jours tranquilles, sans menaces ni tracas, avec beaucoup d'argent.

— Tu raisonnes comme un bourgeois. Allez, va plutôt me trouver au village une chambre que tu paieras en vendant l'épée d'Ernaud le Fier. Je t'attendrai ici, car je ne veux pas errer dans les rues comme un chevalier désorienté. »

Barnabé lève les bras au ciel.

« Mais comment ferais-je pour vous dénicher un lit ! Regardez dans ce vaste pré tous les chevaliers qui ont planté leurs tentes faute d'avoir trouvé un logement en ville. Et voyez ceux-là sur le chemin en contrebas, qui se sont installés dans des huttes et dans des grottes.

— Tu n'as qu'à être plus malin que les autres, rétorque Thibaut. Pendant ce temps, je vais admirer, du haut de cette colline, la beauté du soleil couchant. »

*

Barnabé prend les trente deniers que lui donne le marchand en échange de l'épée d'Ernaud le Fier et sort de la boutique. La rue est encombrée de chevaux, de dames et de chevaliers, et il a du mal à avancer jusqu'à une fontaine près de laquelle est attaché son cheval. Il s'assied sur la margelle, boit trois gorgées d'eau et se met à réfléchir.

« Comment vais-je dénicher une chambre dans ce

village surpeuplé ? Il faudrait que mon maître possède quelque mérite éclatant qui le fasse préférer à tout autre. Mais hélas ! il est pauvre et inconnu. »

Soudain les yeux de Barnabé brillent.

« J'ai une idée. Une excellente idée qui devrait, de surcroît, me permettre de garder pour moi les trente deniers. »

D'un pas allègre, il se dirige vers l'église et frappe à la porte du presbytère. Un gros curé, rougeaud et jovial, lui ouvre la porte.

« Que veux-tu, mon fils ?

— Je suis au service d'un chevalier qui vient d'arriver dans ce village pour participer demain au tournoi de Juvignole. »

Le bon curé maugrée :

« Je désapprouve ce genre de divertissement et tout ce sang inutilement répandu. Il serait plus utile que tous ces chevaliers aillent se battre pour Jérusalem.

— Justement, dit Barnabé, en baissant humblement les yeux, c'est pour partir en Terre sainte que mon maître cherche à s'exercer. Déjà, à cause de sa vaillance, on lui a donné une épée qui contient, dans son pommeau, un morceau de la Sainte Croix. »

Le bon curé lève les bras au ciel.

« Un morceau de la Sainte Croix ! Il est privilégié par Dieu celui qui possède un tel trésor. »

Puis il ajoute à voix basse :

« Crois-tu que ton chevalier accepterait de venir dormir sous mon toit ? Je lui laisserai ma chambre et passerai la nuit en prière pour remercier Dieu de m'envoyer cette sainte relique. »

Barnabé hésite un moment :

« Je vais en discuter avec mon maître. Il a déjà trouvé un très bon logement mais peut-être que, pour la gloire de Dieu, il préférera votre presbytère. »

Le bon curé, de reconnaissance, ferme les yeux et murmure quelques prières latines.

Sitôt dehors, Barnabé dissimule les trente deniers dans ses chausses, fort satisfait de sa nouvelle fortune.

*

En haut de la colline, Thibaut, bien droit sur son destrier, crie à son écuyer qui monte le sentier escarpé :

« As-tu trouvé une chambre ?

— Oui, oui. J'en ai trouvé une au presbytère.

— Tu avais assez d'argent ?

— Le curé est déjà trop honoré par votre présence dans sa maison pour demander quelque chose.

— Alors tu lui as certainement donné tout le prix de l'épée pour qu'il embellisse son église ?

— Euh... euh..., grommelle Barnabé déconfit. Faut-il "tout" lui donner ?

— Tout. Rien n'est assez beau pour la maison du Seigneur. Allez, retourne vite à l'église. »

Barnabé redescend la colline en gémissant :

« Jamais je ne ferai fortune avec un pareil maître. »

*

La chambre du curé est étroite et basse de plafond. Allongé sur la couverture du lit, Thibaut, les mains sous la tête et les yeux grands ouverts, écoute les bruits de la rue : chansons des jongleurs, martellements des pieds des danseurs, cris des hommes qui sortent de la taverne, fous rires des femmes. Comment font-ils, ces chevaliers, pour avoir le cœur à se divertir la veille d'un tournoi ? Lui ne cesse de s'inquiéter, puis de se remémorer toutes les feintes, attaques et parades des plus brillants jouteurs. Comment se conduira-t-il demain, face aux plus preux et aux plus renommés ? Saura-t-il tenir son rang ? Et surtout se battra-t-il plus longtemps et plus vaillamment que Foulque de Montcornet ? Puis, fatigué de toutes ces questions sans réponses, il s'endort.

C'est un cri énergique qui le réveille :

« Que les jouteurs s'apprêtent ! Que les jouteurs s'apprêtent ! » clame un héraut dans la rue.

Le soleil n'est pas encore levé. Dans la demi-obs-curité de la chambre, Thibaut sort de dessous son oreiller la chemise qu'il a roulée en se couchant et l'enfile. Barnabé ronfle paisiblement sur la paille. Thibaut, qui se sent de plus en plus anxieux au fur et à mesure que l'heure du tournoi se rapproche, le réveille d'un coup de pied.

« Dépêche-toi, c'est l'heure. Fais briller ma cotte de mailles et mon heaume.

— Je l'ai déjà fait hier soir, avant d'aller danser, grommelle Barnabé, les yeux encore tout gonflés de sommeil.

— Recommence. Je veux que mes armes brillent comme des étoiles et qu'Éléonore ne voie qu'elles au milieu du combat. »

*

« Maîtresse, levez-vous. Vous allez être en retard pour le tournoi », dit la servante Finette, une fille toute menue, de treize ans, au joli nez en trompette.

Finette s'empresse de remonter les rideaux du grand lit à baldaquin et de les nouer autour des lourds montants de chêne. Éléonore s'étire en s'asseyant.

« Fait-il beau ?

— Le ciel est encore blanc de brouillard, répond Finette, mais le temps s'annonce magnifique. »

Éléonore incline la tête pour apercevoir la fenêtre et s'écrie :

« Voleuse ! Je t'interdis de mettre mon manteau. »

Furieuse, Éléonore saute hors du lit et se précipite vers une jeune fille brune de quinze ans, aux yeux sombres et secrets, qui finit d'agrafer un manteau aux reflets verts et bleus.

« Rends-moi mon manteau couleur de paon, ordonne Éléonore.

— Prête-le-moi, juste pour le tournoi », insiste sa sœur Rosamonde.

Éléonore arpente la chambre des dames en foulant de ses pieds nus les herbes et les fleurs qui couvrent le sol.

« Je ne te le prête pas. D'abord, parce que tu ne dois pas prendre mes affaires sans me le demander. Ensuite, parce que père m'a donné ce manteau, il y a juste un mois, et si je te le prête, il croira que je ne l'aime pas.

— Tu es toujours la même : rusée et égoïste. »

Et la demoiselle brune, folle de colère, saisit la chevelure blonde de sa sœur et la tire vigoureusement. Cette dernière hurle :

« Au secours ! Rosamonde m'arrache les cheveux. »

La porte de la chambre des dames s'ouvre sur un jeune homme de dix-huit ans, au regard franc et aux

cheveux courts, déjà revêtu de son haubert et de ses éperons.

« Arrête, Rosamonde ! Pourquoi tourmentes-tu sans cesse ta sœur ? »

Rosamonde lâche les cheveux blonds et hausse les épaules.

« Évidemment. Tu prends toujours le parti d'Éléonore. Sache cependant qu'elle refusait de me prêter son manteau. »

Le garçon rit.

« Ce n'est pas très grave. Père a acheté pour toi un beau manteau d'écarlate. Veux-tu qu'on te l'apporte ?

— Non, c'est inutile. Je n'irai pas au tournoi. Éléonore m'a donné de la fièvre. Je vais me recoucher. »

Et d'un air digne et obstiné, Rosamonde dénoue les rideaux du lit. Puis elle soupire :

« D'ailleurs, à ces tournois, on voit toujours les mêmes chevaliers. »

Le jeune homme s'approche tranquillement de Rosamonde et lui prend doucement le bras.

« Viens avec nous. Ce sera un beau tournoi et tu t'amuseras beaucoup. »

Rosamonde repousse le jeune homme avec brusquerie.

« Laisse-la, Raoul, dit Éléonore. Quand elle

n'obtient pas ce qu'elle veut, elle devient comme une louve féroce. »

Raoul est consterné.

« Tout ce drame pour un manteau !

— Mon pauvre frère, dit Rosamonde en s'asseyant sur le bord du lit, il ne s'agit pas seulement d'un manteau, mais d'Éléonore et de ses caprices ! Décidément, en dehors des tournois et des danses, tu ne comprends rien aux choses de la vie. »

Et d'un air sinistre, Rosamonde disparaît derrière le baldaquin.

*

Après la messe, sur le parvis de l'église, c'est l'allégresse générale. Les chevaliers, habitués à se rencontrer à chaque tournoi, s'apostrophent gaiement. Les écuyers, heureux de se retrouver, bavardent en portant des lances et boucliers qui resplendissent aux premiers rayons du soleil d'avril. Ils achètent des galettes aux paysans, afin que leurs maîtres n'aillent pas combattre le ventre creux. Puis tout le monde s'achemine vers la plaine en chantant.

Thibaut et Barnabé suivent à distance le cortège. Ils sont graves et silencieux. Barnabé songe à la misère qu'entraînerait une défaite de son maître. Après avoir tant rêvé de gloire, Thibaut doute de lui et songe à la honte qui peut-être l'attend. Ah ! s'il devait être battu par Foulque de Montcornet ! Ou se montrer ridicule au milieu de tous ces preux ! Il en blêmit, rien que de l'imaginer.

« Si tu avais une pierre qui te protège contre les blessures, qu'en ferais-tu ? demande-t-il à Barnabé.

— Je la garderais avec la plus grande vigilance et la confierais tous les matins à la grâce de Dieu.

— Moi, je la jetterai dans la prairie en cas de déshonneur, car la mort me paraîtra plus douce que la honte.

— Je vous en empêcherai bien et vous ferai souvenir du réveil au petit matin, lorsqu'on ouvre un œil et qu'on sent son corps tout chaud et tout vivant. »

Dans la plaine, des barrières de bois dessinent un vaste espace carré destiné aux combattants. Autour de cet enclos, un chemin est réservé aux nobles spectateurs et aux hommes qui viennent au secours des tournoyeurs désarçonnés. Derrière ce chemin, se tiennent les spectateurs ordinaires et se dressent les loges, échafaudages de bois réservés aux dames et demoiselles.

Thibaut, près des barrières de bois, examine la foule qui se presse sur les chemins : paysans et artisans, dames et enfants, bourgeois et nobles sur leurs montures. Soudain, il aperçoit sur une mule blanche, vêtue d'un manteau couleur de paon, la fille du comte de Blois. Le cœur du chevalier semble s'arrêter de battre. Éléonore lui paraît différente de l'image qu'il en gardait. Elle a les yeux plus brillants, la peau plus veloutée, l'air plus triomphant et une sorte d'insolence dans son maintien qui intimide le garçon. Elle ne devine nullement sa présence. À ce moment-là, la voix forte d'un jongleur crie :

« Foulque de Montcornet se battra pour la belle Éléonore de Blois. »

La demoiselle se retourne avec coquetterie et sourit galamment au nouveau seigneur de Montcornet qui s'incline pour la saluer. Éléonore passe devant Thibaut en lui tournant le dos.

« Décidément, marmonne Barnabé en voyant l'air consterné de son maître, ce Foulque met trop de constance à vouloir nous empêcher d'être heureux ! »

3

Deux sœurs

Tierce sonne au clocher de l'église[1]. Les trompettes annoncent le début du tournoi. Deux par deux, les chevaliers s'avancent dans la lice, tandis que le héraut, habile à reconnaître boucliers et bannières, clame leur nom et leur cri d'armes. Thibaut s'impatiente et cherche partout des yeux son écuyer. Pourvu qu'il trouve à temps un jongleur ! Sinon exploits et prouesses serviront peu son amour.

Barnabé arrive en courant, suivi d'un jeune gar-

---

1. Les heures de la prière varient selon la durée du jour, suivant les vieilles heures romaines. Elles se répartissent ainsi : matines au milieu de la nuit ; laudes au lever du soleil, suivies de prime ; tierce en milieu de matinée ; sexte à midi ; none en milieu d'après-midi ; vêpres au coucher du soleil ; complies à la tombée de la nuit.

çon mince et délicat, aux cheveux mi-longs et à la tête inclinée sur l'épaule.

« Je vous amène un jongleur gai, fidèle et plein de talents », dit Barnabé, tout essoufflé.

Thibaut examine l'air doux et rêveur du ménestrel.

« Tu n'es au service d'aucun chevalier ?

— Non. J'arrive juste d'Aquitaine aux longues plaines. »

Le jongleur a une voix cristalline et tendre.

« J'aime le son de ta voix. Dis-moi ton nom.

— On me nomme Torticolis, à cause de ma tête penchée.

— Torticolis, tu es désormais jongleur au service du chevalier Thibaut de Sauvigny. Chaque fois que je jetterai à terre un tournoyeur, tu clameras : "Pour Éléonore."

— Son nom sonne comme de l'or, ajoute aussitôt le jongleur. Et si vous êtes blessé, je dirai : "Regarde ce chevalier, s'il meurt sous tes yeux, il meurt heureux."

— C'est cela même, approuve Barnabé. Tu as parfaitement bien deviné le cœur de notre maître.

— Mais qui est Éléonore ? » s'enquiert le jongleur.

Thibaut lui indique les loges où étincellent les manteaux de soie doublés de fourrure et les couronnes rutilantes.

« Ne vois-tu pas qu'une seule demoiselle brille comme le soleil et éclipse toutes les autres qui deviennent sombres et ternes ? »

Torticolis hésite un instant à identifier pareille beauté au milieu de toutes ces splendides dames. Barnabé vient à son secours.

« Au centre de la première rangée, lui chuchote-t-il, le manteau couleur de paon. »

Le jongleur s'exclame aussitôt :

« Quelle noblesse dans son attitude, quelle grâce dans ses mouvements, quel éclat dans ses yeux ! Je la chanterai fort plaisamment car la regarder me donne joie et liesse. »

Thibaut sourit de satisfaction et ajoute :

« Maintenant l'heure est venue de montrer toutes les prouesses dont je suis capable. Barnabé, donne-moi ma lance et mon bouclier, et tous deux, ne me perdez pas de vue pendant le combat. »

*

« Qui es-tu ? demande le héraut à Thibaut, lorsque celui-ci pénètre dans la lice. Je ne t'ai encore jamais vu.

— Je me nomme Thibaut de Sauvigny, et mon cri d'armes est : "À moi, *Santacrux* !"

— Thibaut de Sauvigny, crie le héraut. À moi, *Santacrux* !

— Il est là ! s'exclame Éléonore.

— Qui ? Le chevalier au bouclier vert ? demande Finette en examinant attentivement le garçon. Vous aviez raison : il est beau, bien fait et de noble maintien. »

Thibaut, en passant devant les loges, s'incline devant la jeune fille tandis que Torticolis fait une pirouette et clame :

« Pour Éléonore, dont le nom sonne comme de l'or.

— Son jongleur est plus amusant que celui de Foulque de Montcornet, remarque Finette.

— Certainement, ces deux chevaliers vont se battre férocement à cause de moi, annonce Éléonore, enchantée.

— Parfois, ma demoiselle, vous dites des choses abominables. »

Mais Éléonore se mord la lèvre de satisfaction. Dès que le tournoi commence, Thibaut baisse sa lance, serre contre sa poitrine le bouclier, et se pré-

cipite vers le premier adversaire venu. Il le frappe si violemment qu'au premier choc l'adversaire chute sur le sol, un pied encore accroché à l'étrier

— Pour Éléonore dont le nom sonne comme de l'or, clame Torticolis de sa voix cristalline.

— Barnabé ! » crie Thibaut.

L'écuyer arrive aussitôt.

« Fais ce chevalier prisonnier et emmène son cheval. Reviens vite car je me sens la force d'un lion. »

Par six fois, Thibaut jette à terre son adversaire. Par six fois, Torticolis chante le nom d'Éléonore. Après avoir désarçonné son septième adversaire, Thibaut cherche en vain son écuyer qui a disparu dans la confusion générale.

Thibaut s'adresse donc au vaincu :

« Je suis Thibaut de Sauvigny. Me donnes-tu ta parole de te constituer prisonnier à la fin du combat et de me remettre une rançon pour ta liberté ?

— Je te donne ma parole », dit le chevalier qui remonte à cheval et repart immédiatement jouter.

Thibaut profite de l'absence de Barnabé pour faire un tour sous les loges et admirer sa belle au manteau couleur de paon. Celle-ci lui sourit, sort un mouchoir couleur de paon qu'elle envoie dans la lice. Thibaut l'attrape au vol, et l'embrasse avec effusion.

« Quelle joie, se répète-t-il, elle m'encourage, donc elle m'admire. Peut-être m'aime-t-elle déjà ? »

Mais lorsqu'il relève la tête, il aperçoit un deuxième mouchoir, de même couleur, qui tournoie en l'air et se pose sur le cheval de Foulque. Thibaut rougit de dépit.

« Foulque, à moi ! » s'écrie-t-il.

Mais Foulque se perd dans le désordre et l'anarchie du combat. La confusion est à son comble. Les cris de victoire et de douleur se mêlent à ceux de la foule et aux hennissements des chevaux. Des nuages de poussière obscurcissent l'air et remplissent les yeux, la bouche, les narines des hommes et des bêtes. Dans ce brouillard, les écuyers, affolés, cherchent vainement leurs maîtres et les jongleurs s'égosillent en vain.

« À moi ! Foulque de Montcornet, s'écrie Thibaut, désespéré de ne pas trouver son rival.

— Me voilà, Thibaut de Sauvigny », répond Foulque, surgissant de la sombre mêlée.

Sans attendre, Foulque dresse sa lance et l'enfonce dans le cou du cheval de son adversaire. La bête s'effondre dans un hennissement de douleur. Thibaut saute à terre et sort son épée en criant :

« À moi, *Santacrux* ! »

Furieux de la mort de son destrier, il brise d'un coup énergique la lance du seigneur de Montcornet. Tous deux maintenant combattent à l'épée. Tous deux sont en rage et se jettent des regards de haine. Autour d'eux, les combattants s'arrêtent pour admirer le duel. Les jongleurs exhortent à la vaillance, les femmes se dressent debout dans les loges pour ne rien manquer du spectacle. Les épées frappent les heaumes et les boucliers dans un grand vacarme de fer et les mailles des hauberts volent de tous côtés. Enfin Thibaut fait sauter l'épée de Foulque et pousse un cri de victoire. C'est alors que retentit l'appel du héraut :

« Arrêtez la mêlée ! »

Les trompettes sonnent. Les épées rentrent dans leur fourreau. Thibaut et Foulque échangent des regards chargés de colère.

« Tu te défends mal face à un chevalier qui ne sait pas courir après un paysan, ironise Thibaut.

— La prochaine fois, tu rouleras dans la poussière et mon cheval t'écrasera de ses sabots », déclare Foulque avec orgueil.

Éléonore déplisse son manteau, et enfile ses gants.

« Ainsi vous connaissez le plus preux et le plus hardi des deux chevaliers », constate Finette.

Éléonore reste un moment mélancolique.

« As-tu remarqué avec quelle passion Thibaut a embrassé mon mouchoir ?

— J'ai remarqué », dit Finette, avec un sourire malicieux.

*

La nuit s'apprête à tomber. Sur les chemins, s'en vont, par petits groupes, les derniers spectateurs. C'est l'heure des marchands qui se rassemblent bruyamment près de l'enclos du tournoi. À la lumière des torches, chacun s'affaire pour vendre ou acheter armes, armures, harnais et montures. Barnabé tient fièrement par leurs brides les huit chevaux gagnés par Thibaut, tandis que les chevaliers vaincus attendent de pouvoir racheter leur liberté.

« Que dois-je faire de tout ce butin ? demande l'écuyer à Thibaut.

— Pour fêter mon premier tournoi, libère les prisonniers sans leur faire payer de rançon. Garde-moi un destrier pour combattre, un palefroi pour chevaucher, un roncin pour porter les fardeaux, un cheval pour Torticolis et vends le reste des chevaux et des armes.

— Et que ferai-je de l'argent ?

— Tu en donneras un quart à Torticolis et le reste aux pauvres qui attendent là-bas. »

Barnabé désapprouve l'attitude de son maître :

« Nous ferions mieux de mettre de côté quelque argent, en cas de besoin. »

Mais Thibaut répond par un geste agacé.

« L'honneur d'un chevalier dépend de ses largesses. Allez, donne, donne et ne te conduis pas comme un marchand qui garde honteusement ses deniers.

— Mais comment allons-nous dîner ? insiste Barnabé.

— Nous verrons bien. »

Et, sans se préoccuper davantage de ces questions matérielles, Thibaut s'éloigne, ravi.

Barnabé hoche la tête, mécontent.

« Vois-tu, Torticolis, notre maître est un bon maître, gai, preux et aimable. Mais l'honneur de la chevalerie lui monte trop à la tête. Si je lui obéissais, nous passerions notre temps à dépenser tout l'argent qu'il gagne. Heureusement que je suis là pour prendre soin de lui. »

Un jeune chevalier au regard fier s'approche de Barnabé.

« Tu es bien au service de Thibaut de Sauvigny ?

— Je le suis.

— Dis-lui que Raoul, le fils aîné du comte de Blois, l'invite à dîner. Nous avons près d'ici un fort château où il y aura ce soir bonne table, joyeuses chansons et gais convives. Mon père aurait grand plaisir de sa présence, car rarement il vit un chevalier si vaillant. »

Lorsque Raoul s'est éloigné, Torticolis remarque avec douceur :

« Tu vois, notre maître a raison. Le gîte, le couvert et la joyeuse compagnie nous sont offerts aimablement. »

À la lumière des torches, les invités du comte de Blois se dirigent vers son château. Le comte chevauche en tête du cortège à côté d'Éléonore, assise sur sa mule.

« J'ai parlé à Foulque de Montcornet. Comme tu me l'avais annoncé, son père est parti dans une abbaye près de Paris et Foulque est devenu seigneur de ce fief. Il viendra prochainement me rendre ses devoirs de vassal. »

Éléonore chevauche en silence.

« Tu ne dis rien ? s'étonne son père. Pourtant ce Foulque a tournoyé en ton honneur.

— Je sais. Mais qu'y a-t-il là d'extravagant ? Il n'est pas interdit de tournoyer en mon honneur. D'autres aussi le font.

— Un autre l'a fait en tout cas, dit le comte en surveillant sa fille d'un œil amusé.

— Qu'y a-t-il de mal à cela ? s'emporte Éléonore.

— Rien, rien, je n'ai pas parlé de mal et ne vois pas pourquoi tu parais offensée.

— Je ne suis pas offensée, répond-elle avec humeur.

— Eh bien, puisque tu es d'humeur agréable et charmante, je vais te parler de la proposition du seigneur de Montcornet. Il demande ta main et souhaite t'épouser au plus tôt.

— Mais je ne veux pas l'épouser ! s'exclame Éléonore. Je veux rester au château avec vous et mon frère Raoul, je ne veux pas m'en aller. Et puis, c'est un seigneur déloyal et fourbe.

— Que racontes-tu ? Je l'ai vu preux et hardi au tournoi.

— Il est hardi, mais il est fourbe aussi. Il s'est très mal comporté au sujet de ma bague.

— Qu'est-il arrivé à ta bague ?

— Rien, c'est une histoire de peu d'importance et vous me croiriez folle. Mais, père, qu'avez-vous répondu à Foulque ?

— Que tu te marieras quand tu le souhaiteras et que je ne voulais pas t'y contraindre.

— Et qu'a-t-il répondu ?

— Il a pris l'air surpris. Puis il m'a salué fort courtoisement sans trouver rien à redire.

— Je vous l'avais dit : c'est un fourbe. »

Le comte rit.

« Ne t'ai-je pas surprise en train de lui envoyer un mouchoir ? »

Éléonore s'indigne.

« Père, vous me fâchez. À vous entendre, on me prendrait pour une écervelée. »

Éléonore tape sa mule pour se retrouver seule en tête du cortège.

*

Au château de Blois, dans la chambre des dames, Rosamonde joue aux dés avec sa servante. Par la fenêtre entrouverte lui parvient un tumulte de rires et de chants mêlé aux hennissements et aux aboiements des bêtes.

« C'est mon père qui rentre du tournoi », s'écrie la fille du comte en se précipitant à la fenêtre.

Rosamonde examine attentivement le long cortège des hommes d'armes, qu'éclairent les flammes des torches.

« Il y a un nouveau chevalier. Il porte un heaume et un bouclier verts. Vite, apporte-moi la crème qui éclaircit le teint. »

Rosamonde met de la crème blanche sur ses joues rouges, pose sur sa poitrine un voile de mousseline, tire ses chausses[1] qu'elle attache par des jarretières, met des chaussures basses de cuir rouge, enfile une chemise blanche en crêpe de soie brodée, un bliaud[2] qu'elle serre bien à la taille avec un pourpoint[3] brodé. Finalement, elle noue soigneusement sa longue ceinture dont les cordons tombent jusqu'au sol.

« Enfin nous sortons de ce long hiver pendant lequel je me suis tant ennuyée ! Va vite préparer un bain. »

---

1. Pièce de vêtement couvrant le pied, la jambe et la cuisse.
2. Longue robe étroite.
3. Petite veste qui couvre le torse du cou à la ceinture.

*

Au seuil de la grande salle, Rosamonde accueille Thibaut avec son plus charmant sourire.

« Beau chevalier, je suis la fille aînée du comte de Blois et me nomme Rosamonde. Permets que je t'enlève tes armes. »

Avec des gestes précis, elle dénoue les lacets qui attachent le heaume au haubert, et caresse doucement les boucles blondes.

« Oh ! vous avez les cheveux mi-longs à la nouvelle mode. »

Thibaut sourit, tout content, tout surpris d'être aussi bien traité. Il songe qu'il est fort agréable d'être chevalier et de ne plus courir du matin jusqu'au soir comme un écuyer. Pendant que Rosamonde enlève ses éperons, il examine la grande salle. Elle ne se trouve point dans le donjon, comme au château de Montcornet, mais dans un vaste logis. Les murs sont décorés de fresques et de broderies. Le sol est jonché de fourrures et de peaux. Tout le monde s'agite. Les écuyers, après avoir désarmé leurs maîtres, courent ranger dans les coffres cottes de mailles, casques et épées. Les serviteurs, sur les ordres du sénéchal, dressent des tables à tréteaux et apportent des bancs. D'autres apportent des torches qui dégagent beaucoup de fumée.

« Maintenant, venez faire un peu de toilette. Je vous ai fait préparer un bain », dit Rosamonde.

*

Lorsque les tréteaux accolés les uns aux autres forment une grande table disposée en fer à cheval, et qu'ils sont recouverts de nappes blanches et de vaisselle en étain, le sergent sonne du cor pour annoncer le dîner. Dames et demoiselles arrivent dans de belles robes fourrées. Rosamonde s'approche de Gui, le portier, chargé de placer les dîneurs. C'est un jeune homme de seize ans, au regard espiègle et aux cheveux filasse coupés au bol.

« Place-moi à côté du nouveau chevalier. Tu en seras récompensé. »

Gui plante d'abord, au centre de la table, trois bougies dans une miche de pain. Devant se placent le comte et le sénéchal. La troisième bougie reste allumée en souvenir de la comtesse, une femme belle et vaillante, morte en Terre sainte en accompagnant son mari.

Alors que Gui s'occupe des dîneurs, Finette le rejoint en courant.

« Gui, je te prie, place ma maîtresse à côté du nouveau chevalier.

— C'est impossible. La demoiselle Rosamonde me l'a déjà demandé. »

Finette devient tendre et mutine.

« Au prochain bal, je danserai avec toi.

— Et tu iras avec moi te promener dans le bois ? »

Finette prend l'air scandalisé.

« Ce que tu demandes est considérable, pour un petit service qui consiste à bien placer ma maî-tresse. »

Gui paraît consterné.

« Pourquoi ces demoiselles veulent-elles toujours la même chose au même moment ? Je deviens tout angoissé d'avoir à choisir sans cesse entre elles deux. »

Finette lui tapote gentiment la main.

« Ne t'angoisse plus et obéis-moi. »

Gui acquiesce avec un fin sourire. Mais dès qu'il relève la tête, il reste tout ébahi en apercevant Rosa-monde qui tient Thibaut par le bras et l'installe à côté d'elle. Au même moment, Éléonore, éblouis-sante, apparaît en relevant un coin de la tenture et dévisage l'assemblée. Gui se précipite auprès d'elle.

« Ce n'est pas ma faute, ma demoiselle. C'est votre sœur qui...

— N'en parlons plus. Place-moi en face du che-valier. »

Chacun s'assied d'un côté de la table, les autres côtés restant accessibles aux serviteurs. Ceux-ci apportent d'abord du fromage et des abricots venus de Terre sainte, puis du cygne posé sur de grandes tranches de pain et des huîtres chaudes.

« Nous partagerons la même écuelle, dit Rosamonde à Thibaut d'un ton charmant.

— Oui, la même écuelle », répond Thibaut, distraitement.

En effet, de l'autre côté de la table, Éléonore le regarde en avalant une huître cuite avec gourmandise. Thibaut, fasciné, ne la quitte pas des yeux.

« Ce mouchoir était donc bien un signe de tendresse », songe-t-il.

« N'avez-vous pas faim après ce long tournoi, demande Rosamonde qui pioche avec ses doigts dans l'écuelle.

— Non... non... c'est que... je suis si heureux d'être ici, à la table de votre père. Tout le monde est tellement gentil... on se croirait au paradis...

— Au paradis ! Quelle extravagance ! »

Rosamonde, intriguée par les étranges propos de son voisin, l'examine avec plus d'attention. Elle remarque vite le sourire qui flotte sur ses lèvres, les yeux fascinés par ce qui se passe de l'autre côté de la table, où triomphe sa sœur.

Gardant tout son sang-froid, Rosamonde parle avec une insouciance feinte :

« On dit que vous avez fait preuve pendant ce tournoi d'une vaillance extrême, et que plusieurs fois vous avez failli perdre la vie.

« — Ce n'est rien, vous savez, en ce moment, je ne peux pas mourir.

— Comment cela est-il possible ?

— C'est à cause de la pierre d'une magicienne que j'ai rencontrée dans la forêt de Biroquie. »

De l'autre côté de la table, Éléonore rit. Thibaut rit de la voir rire, ce qui fait rire Éléonore.

« Parlez-moi de cette magicienne, insiste Rosamonde.

— Volontiers », répond étourdiment Thibaut.

*

À la fin du repas, les valets présentent bassins et aiguières pour que chaque convive se lave les mains. D'autres s'empressent de desservir et de replier les tables à tréteaux qu'ils sortent de la salle. Le comte de Blois s'assied sur une banquette recouverte de tapisserie. Certains s'asseyent sur des bancs, d'autres sur des bottes de paille dissimulées sous un tissu brodé, d'autres sur les herbes aromatiques jetées sur le sol. Le sergent sonne du cor pour demander le silence. Le comte prend la parole :

« Mes amis, nous fêtons ce soir la présence du chevalier Thibaut de Sauvigny, qui a si vaillamment jouté cet après-midi à Juvignole.

— Beau sire, répond Thibaut, jamais je n'ai été plus heureux que ce jour.

— Nous sommes aussi contents de ta compagnie.

— Je souhaiterais ne jamais quitter votre maison. »

Le comte regarde avec bienveillance l'impétueux garçon.

« Tu as montré une grande vaillance et je te prendrais volontiers comme compagnon, si tu veux te lier à moi par l'hommage.

— Sire, vous me combleriez de joie. »

Le comte paraît amusé et répond de bon cœur :

« Nous terminerons ainsi gaiement cette joyeuse journée. »

Thibaut vient s'agenouiller devant le seigneur du château.

« Veux-tu devenir complètement mon homme ? » demande le comte en tendant ses mains.

Thibaut, à son tour, tend ses mains et les abandonne dans celles du comte en disant :

« Tu es mon seigneur. Je m'en remets à la merci de Dieu et à la tienne.

— Tu es mon homme pour faire ma volonté.

— Je te promets sur ma foi d'être désormais fidèle au comte de Blois et de garder envers et contre tous l'hommage que je lui ai prêté sans fourberie. »

Le comte sourit en disant :

« Tu es désormais mon ami. »

Le comte se met debout et relève Thibaut. Puis tous deux se donnent un baiser sur la bouche. Aussitôt les jongleurs entament un air joyeux accompa-

gné de leur harpe, de leur rote ou de leur vielle.
Alors Torticolis saute sur un coffre et entonne hardiment de sa belle voix claire :

> « *Beau sire, large en générosité,*
> *Qu'il est doux à ta maisonnée*
> *D'appartenir.*
> *Beau sire, rayonnant de gaieté,*
> *Qu'il est doux d'avoir la fierté*
> *De t'obéir.* »

Puis Torticolis, saisi par un délire d'allégresse, saute sur le sol et commence d'extravagantes cabrioles. Dans un coin de la salle, Gascelin, le deuxième fils du comte de Blois, un pâle et timide garçon de seize ans, s'approche de Rosamonde.

« Ce jongleur à la tête penchée est très amusant.

— Mais son maître, lui, est inquiétant.

— Il m'a paru un chevalier fier et franc », s'étonne Gascelin.

Rosamonde baisse la voix :

« C'est que tu ne vois jamais le mal là où il se trouve. »

Gascelin lève des yeux étonnés. Rosamonde continue sa perfide accusation :

« J'étais assise à côté de lui pendant le dîner et, sous l'effet du vin, ses propos étaient pleins de félonie. Il veut, par ruse, devenir l'ami de Raoul et de notre père afin de diriger le château à sa guise. »

Gascelin reste muet d'étonnement.

« Méfie-toi de lui, ajoute Rosamonde. Il voudra certainement te plaire, à toi aussi. Mais sache que dans son cœur règne la perfidie. »

*

Dans la grande salle, des valets montent les lits de sangles pour les chevaliers, et déposent les couvertures. D'autres enlèvent les torches. Bientôt les chevaliers dorment. Seul, Thibaut garde les yeux ouverts, revoyant inlassablement le tournoi et sa honte effacée, la bienveillance du comte et son errance terminée, le sourire d'Éléonore et son amour encouragé. Oui, désormais, Thibaut de Sauvigny, le chevalier pauvre, le chevalier errant, appartient à la maison du comte de Blois.

« Merci, mon Dieu, murmure-t-il, merci de me rendre la vie si belle. »

*

Le lendemain matin, lorsque le soleil est haut dans le ciel, Éléonore et Finette sortent de l'enceinte du château et se dirigent vers le verger. Sous un arpent de vigne, des petits carrés de légumes, d'herbes aromatiques, de roses et de lis s'étalent entre les pommiers et les poiriers. Éléonore va s'asseoir sur un banc près d'une source claire.

« Je me sens toute dolente et pensive, déclare-
t-elle.

— C'est à cause de ce beau chevalier.

— Quel beau chevalier ? demande Éléonore en
rougissant. Je ne comprends pas du tout ce que tu
insinues.

— N'avez-vous pas remarqué, dit Finette en
riant, un chevalier qui s'appelle Thibaut de Sauvigny ? Il n'a cessé de vous regarder et de vous sourire.

— Je n'ai rien remarqué.

— Je crois que ma demoiselle est une belle menteuse », affirme Finette.

Puis s'approchant de sa maîtresse, elle lui prend
le menton.

« D'ailleurs je trouve ces grands yeux plus rêveurs
que d'habitude et ce visage plus pâle.

— Tu tiens des propos insensés, rétorque Éléonore avec humeur.

— Je sais reconnaître les maladies, affirme gravement Finette.

— Ah ! Parce que je suis malade, maintenant !

— Oui, vous souffrez du mal d'amour. »

Éléonore baisse les yeux et reste un long moment
silencieuse.

« Es-tu certaine que cette douleur au cœur, puis
cette joie soudaine, puis cette douleur encore soient
le mal dont tu parles ?

— Exactement. L'amour est bonheur et tourment à la fois.

— Que vais-je devenir ? s'inquiète Éléonore.

— Ne craignez rien. Votre père est le plus sage et le meilleur des hommes et il a grande amitié pour votre chevalier. Attention, le voici. »

En effet, Thibaut surgit de derrière une haie de lauriers, un grand sourire aux lèvres.

« Bonjour.

— Bonjour, répond Éléonore.

— J'ai le cœur tout joyeux, dit Thibaut en s'asseyant auprès de la fille du comte.

— C'est sans doute la joie de retrouver le printemps après le long et triste hiver.

— Non, ce n'est pas cela.

— C'est d'être devenu le vassal de mon père, suggère Éléonore.

— Ce n'est pas cela non plus. C'est à cause d'une demoiselle. »

Éléonore feint la surprise et rougit un peu.

« Une demoiselle, reprend Thibaut, qui est si belle que certainement Dieu l'a faite pour émerveiller le monde.

— Je n'en connais aucune qui ressemble à ce que tu dis. »

Thibaut se met à genoux et prend la main d'Éléonore avec ferveur.

« Elle est là, devant mes yeux et rayonnante. Je

84

l'aime plus que moi-même et pour elle je veux vivre et mourir.

— Hé là ! chevalier, intervient Finette, vous voilà bien audacieux de parler à ma maîtresse de la sorte.

— Quelle audace y a-t-il à aimer la beauté ?

— Vous êtes un chevalier pauvre, sans fief ni fortune, explique la servante.

— Un jour, déclare fièrement Thibaut, j'aurai grand renom sur cette Terre.

— Un jour... un jour... je serai reine de France », déclare Finette en riant.

Éléonore se lève brusquement.

« J'ai froid. Rentrons, Finette. »

Thibaut reste abasourdi de ce départ soudain. Le beau château de pierre, le verger bien jardiné, les champs qui s'étendent alentour, le ciel bleu, le clair soleil, tout lui paraît sinistre et gris. Il s'assied, accablé, regardant fixement ses pieds, lorsqu'une voix gaie se fait entendre :

« On vous attendra demain, à la même heure, dans le verger. S'il advenait quelque chose d'imprévu et que nous ne puissions point venir, nous attacherons à la fenêtre une écharpe grise. »

Et Finette s'enfuit de son pas léger.

Brusquement Thibaut sourit au soleil, aux arbres, aux fleurs, au doux zéphyr d'avril, il a le printemps dans le cœur et ne remarque pas Rosamonde qui, du haut du mur d'enceinte, ne le quitte pas des yeux.

4

Le jugement de Dieu

Sur le rempart extérieur, Thibaut et Raoul se promènent en admirant le paysage et la jolie courbe de la Loire, entourée de saules et de plages de sable. Thibaut, qui n'a jamais vu un aussi grand château, l'examine attentivement. La première enceinte, la « chemise », entoure le donjon. Le deuxième rempart protège le logis du seigneur, la chapelle, les écuries, les logements des gardes. Le troisième rempart entoure le moulin, les maisonnettes des paysans et des artisans.

« Grandes sont ma joie et ma fierté d'appartenir à la maison de ton père, dit Thibaut avec émotion.

— Je ne puis avoir de meilleur ami que toi, et tout le monde ici se réjouit de ta présence.

— Pourtant il m'a semblé, à la sortie de la messe, que ton frère Gascelin me dévisageait avec méfiance.

— Tu t'es certainement trompé. Gascelin est un garçon au caractère faible mais doux.

— C'est que je suis si heureux ici que j'ai peur parfois qu'un tel bonheur ne dure pas. »

Raoul rit.

« Tu n'as rien à craindre. Mon père est sage et bon, et il t'aime. »

Des cris affolés interrompent la conversation des deux amis qui se penchent au-dessus des créneaux. Les paysans et artisans du bourg et des fermes avoisinantes courent vers le château. Chacun emporte son trésor : porcs, vaches ou moutons que l'on pousse avec un bâton, sacs de grains ou de farine, poules et lapins.

« Regarde », s'exclame Thibaut en pointant son doigt vers l'horizon.

De la masse sombre de la forêt, surgissent des chevaliers tout armés.

« Leur bannière est d'azur à bande d'or, dit Raoul.

— C'est celle du seigneur de Montcornet. Sans doute veut-il forcer ton père à lui donner Éléonore en mariage. »

Raoul a les yeux qui pétillent d'allégresse.

« Peu importe ! Voilà revenu le beau temps des combats ! »

*

Dans le logis, les écuyers habillent leurs maîtres, lacent leurs heaumes, attachent leurs éperons, sortent des coffres, lances, épées, gonfanons[1]. Les valets harnachent les chevaux.

Quand résonnent les trompettes, le comte de Blois franchit le pont-levis. Devant lui, la plaine est déjà ravagée par l'ennemi. De hautes flammes, rabattues par le vent, brûlent les maisons de bois et de chaume, tandis qu'errent, mugissant ou bêlant, les bêtes affolées.

Le comte se tourne vers Thibaut.

« Ce Foulque est un jeune homme de peu de raison et de beaucoup d'orgueil. Espère-t-il ainsi me forcer à lui donner la main d'Éléonore ? Enfin, on ne peut empêcher la jeunesse d'être turbulente, autant empêcher un oiseau de chanter.

— Je demande le privilège de porter votre bannière », dit Thibaut.

Le comte sourit en voyant le visage joyeux du jeune chevalier et constate avec une pointe de tristesse :

---

1. Bannière de guerre faite d'une bandelette à plusieurs pointes, suspendue à une lance.

« Je crois que je vieillis, car la guerre ne m'amuse plus. »

Les hérauts, de part et d'autre, lancent leurs cris d'armes :

« Montcornet, le vaillant chevalier !

— Pour l'honneur de Blois ! »

Les deux camps se mettent en ordre de bataille. Au premier rang, accroupis, les piquiers armés d'épieux. Derrière eux, debout, les archers. Enfin, en troisième ligne, les chevaliers. À l'arrière se tiennent les écuyers, prêts à conduire un cheval ou apporter une lance à leur maître désarmé.

« À l'attaque ! Que Dieu protège nos armes ! »

Aussitôt les chevaliers contournent les piquiers et les archers immobiles sur leur position et se précipitent vers la troupe adverse. Les lances frappent les boucliers, les arçons se brisent, les chevaliers à terre dégainent leurs épées. La mêlée est vite confuse. Thibaut jette au sol trois chevaliers qui lui promettent rançon avant de reprendre le combat. Soudain, Ernaud le Fier, qui se bat sous la bannière de Foulque, coupe la sangle qui attache la selle de Thibaut. Le chevalier, qui se trouve brutalement renversé, s'étale par terre. Ernaud brandit sa lance contre la poitrine du garçon.

« Cette fois-ci, je suis vengé de ma défaite, déclare-t-il. Me promets-tu rançon ?

— Je te le promets, dit Thibaut.

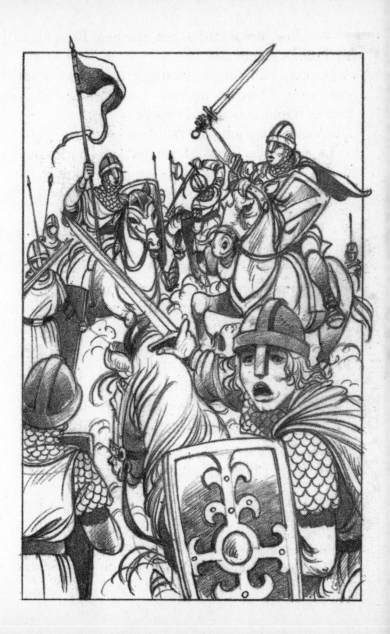

— Alors, à plus tard », crie gaiement Ernaud qui déjà repart au combat.

Dépité, Thibaut, ne trouvant plus son cheval, contourne à pied les archers et rejoint le camp du comte. Raoul, soucieux, l'appelle :

« Viens vite, mon père est blessé. »

Le comte de Blois est allongé sur l'herbe, une flèche dans la poitrine. Près de lui, à genoux, un médecin lui arrache la flèche d'un coup sec. Le comte pousse un bref gémissement.

« Ce n'est pas une blessure profonde, déclare le médecin. Ne vous faites pas de souci. Installez-le doucement dans son bouclier.

— Nous allons porter mon père au château, dit Raoul à Thibaut. Quoi que pense le médecin, cet accident m'inquiète. Toi, reste avec Gascelin. Demande-lui de faire rapidement la paix avec Foulque.

Puis, après un bref regard sur la bataille, il ajoute :

« Ce sera facile. Nos adversaires rebroussent chemin. Vous n'aurez qu'à les poursuivre. Et reviens vite. »

*

Le soir, la gaieté règne au pied du château de Montcornet. Des valets apportent en courant tout ce qu'ils ont pillé sans scrupule chez les paysans : pain, viande, poulet, fromage, vin qu'ils déposent dans la grande tente où l'on monte les tréteaux. À l'extérieur, Torticolis joue de la vielle, tandis que Barnabé donne des coups de marteau sur le heaume cabossé de son maître.

« Pauvres paysans ! Ils ne voient jamais la fin de leur tourment. Les querelles entre seigneurs, cela signifie des champs dévastés, des poulaillers détruits, des greniers vidés. »

Ernaud le fier passe en brandissant un lièvre qu'il vient de trouver dans un piège.

« Ah ! Quelle joyeuse chose que la guerre ! s'exclame-t-il.

— La belle chose, en effet, grogne Barnabé. Un beau cheval, que j'avais si bien étrillé ce matin, qui a disparu Dieu sait où et qui est peut-être mort. Et ce heaume si bien astiqué qui ressemble maintenant à un chaudron de sorcière. Quant à la rançon des trois chevaliers, il m'a fallu la donner presque entiè-rement à Ernaud. Je n'ai pu garder que quelques deniers.

— Tu n'as pas l'âme chevaleresque », ironise Tor-ticolis.

Barnabé continue posément son explication :

« Tu comprends, un paysan se donne beaucoup de peine pour faire pousser son blé, mais ensuite il a de la belle farine blanche dans son grenier. Un marchand voyage et se fatigue sur les chemins, mais ensuite il a de beaux deniers brillants dans sa cassette. Un chevalier n'a jamais rien. »

Torticolis égrène quelques notes d'une mélodie mélancolique, et ajoute :

« Mais au moment de mourir, un chevalier a dans son cœur maints souvenirs de prouesses et d'aventures, de joyeuses soirées et bonne camaraderie, d'amour pour sa dame, pour son seigneur, pour l'Église, et il remercie Dieu d'une si belle vie. »

*

À la fin du repas, les chevaliers sont fort gais. Foulque lève son verre.

« Buvons à la paix entre nos deux maisons.

— Buvons à la paix », répète Gascelin.

Puis il ajoute timidement :

« Tu devras rembourser tous les dommages que tu as faits en pillant et incendiant les terres de mon père. »

Foulque lui jette un regard hypocrite.

« Pourquoi parler de toutes ces balivernes ? Quelques paysans ruinés, c'est de si peu d'importance. J'espère bientôt sceller notre alliance en épousant ta sœur Éléonore. »

Gascelin hésite.

« Eh quoi ! s'exclame Foulque, par Dieu ! tu ne me réponds pas ?

— Si, si, balbutie Gascelin. Mais seul mon père

peut en décider. Cependant je te jure sur l'honneur de faire tout ce qui est en mon pouvoir pour que ce mariage se réalise. »

*

Le lendemain matin, Thibaut, Gascelin et leurs compagnons s'en retournent vers leur seigneur. Il fait sombre et une pluie fine et régulière les rend silencieux et moroses. Après une courte chevauchée, la petite troupe s'arrête en haut d'une colline, stupéfaite du spectacle qui s'étend sous ses yeux. Devant la porte du château de Blois, une cohorte d'hommes et de femmes aux vêtements misérables est assise sur les bords du chemin. Torticolis dit tout haut ce que chacun pense tout bas :

« Notre sire doit aller bien mal si les pauvres attendent ainsi devant les remparts.

— Au château, chevaliers ! » crie Thibaut en partant au galop. »

*

Thibaut se fraye difficilement un passage jusqu'à la chambre seigneuriale. Le comte de Blois, très pâle, les yeux fermés, est couché dans son lit sur de nombreux coussins de plume. Près de lui, des prêtres récitent des prières dont le chant monotone est entrecoupé par les sanglots des femmes. Les hommes, très nombreux, serrés les uns contre les autres, ont l'air grave et triste. Thibaut s'approche de Raoul dont les yeux sont pleins de larmes.

« La blessure s'est envenimée très vite, explique Raoul. Les médecins ne savent plus quoi faire. »

Soudain le visage du mourant tressaille, le comte ouvre les yeux et dit d'une voix saccadée mais claire :

« Mes amis, avant de remettre mon âme à Dieu, je donne mes terres et mes châteaux à mon fils aîné, Raoul. Que chacun le serve fidèlement comme il m'a servi. »

Puis tournant sa tête vers Raoul, il ajoute :

« Mon fils, promets-moi de te conduire dans l'honneur de la chevalerie et la soumission à l'Église.

— Je le jure. »

Alors, un à un, les chevaliers viennent embrasser une dernière fois leur seigneur. Puis ils viennent s'agenouiller devant Raoul, mettent leurs mains dans les siennes, déclarent être « son homme » et l'embrassent sur la bouche. Lorsque tous ont reconnu Raoul comme seigneur et maître, le vieux comte de Blois reprend d'une voix sourde et précipitée :

« Que mes robes et mes manteaux soient distribués entre mes chevaliers. Qu'on offre cinq deniers à tous les pauvres qui attendent devant ma demeure.

Et qu'à tous on donne un grand et bon repas. Qu'à... »

La tête du comte s'affaisse brusquement. Un prêtre s'approche et ferme les yeux du mort en disant :

« Que le Père tout-puissant absolve tes péchés et que, pour ta loyale et sage chevalerie, Il t'accueille dans Son paradis pour la vie éternelle, *amen.* »

Puis il se retourne vers Raoul.

« Nous veillerons ici, toute la nuit, pour empêcher le Diable de s'approcher du mort. »

*

Lorsqu'on l'a vidé de ses entrailles, lavé avec des vins épicés, et vêtu d'une belle robe, on enveloppe le corps du comte dans un drap de lin, puis dans une peau de cerf, et on le dépose dans sa bière. Des encensoirs brûlent dans la chambre et trente cierges sont allumés. Tout autour se rassemblent la famille du comte, ses frères et sœurs venus de loin, ses amis venus de toutes parts. En long cortège, tous l'accompagnent à l'église où se déroule la messe des morts. Puis, sous un arbre du cimetière, on dépose en terre celui dont l'âme est montée jusqu'au ciel.

*

Raoul, depuis qu'il est comte de Blois, est plus posé et plus réfléchi. Il cherche à devenir comme son père, un seigneur bienveillant, qui rend la justice avec équité, méritant le respect de tous. Éléonore, désemparée de ne plus sentir au-dessus d'elle la protection d'un père qui l'aimait, s'enferme dans le chagrin. Thibaut ne sait que faire pour l'empêcher d'être triste. Puis, petit à petit, la gaieté revient dans les cœurs et les rires dans le château.

*

Dans la grande salle, pendant que les hommes passent l'après-midi à jouer aux cartes, aux échecs ou aux dés, Thibaut se tient près d'une fenêtre et regarde tomber la pluie. Le bruit des gouttes se mêle à celui des chansons qu'entonnent, dans leur chambre, les dames brodant une tapisserie. Thibaut s'exerce à reconnaître, parmi tous les timbres de voix, celui, si clair, d'Éléonore.

Torticolis s'approche alors discrètement de lui.

« Maître, je vous donne un conseil. Ne restez pas dans ce château. »

Thibaut s'esclaffe.

« Tu veux que je m'éloigne de Raoul et d'Éléonore. Ce serait abandonner sagesse pour folie.

— Méfiez-vous de Rosamonde. »

Thibaut fait une petite moue incrédule.

« Je ne vois pas pourquoi. Elle est très gentille et courtoise avec moi. »

Torticolis paraît agacé par l'aveuglement de son maître.

« Quand je joue de ma vielle, pendant les repas, j'examine les convives et je lis dans leurs yeux.

— Que vois-tu donc ?

— L'œil est le miroir du cœur. J'y lis les passions qui tourmentent les âmes. »

Thibaut a du mal à comprendre.

« Veux-tu dire qu'avec ta tête penchée tu vois mieux que moi avec ma tête droite ?

— Je veux dire que, dans les yeux de Rosamonde, pendant que vous souriez, parlez, souriez encore à Éléonore, je vois une expression si farouche et cruelle que la demoiselle devient comme une garce folle. »

Thibaut éclate de rire.

« Tu as trop d'imagination. Je croirais plutôt qu'avec ta tête penchée tu vois tout de travers, inventes chimères et songes creux. Ne viens plus me troubler quand résonne la voix d'or d'Éléonore. »

*

Lorsque tierce a été chanté, le triste Gascelin se promène dans le verger. Depuis la mort de son père, dont la force et l'affection lui manquent, il se sent étranger dans ce château où Raoul et Thibaut organisent joyeuses soirées et chevauchées. Il ne sait s'il doit rester à Blois ou partir errer à l'aventure pour

« chercher son prix » comme les fils cadets des familles nobles. La vie lui paraît pleine de périls et de tourments. Comme il aimerait avoir la force de Raoul, sa joyeuse confiance dans la vie.

« Gascelin, j'ai quelque chose d'important à te dire. »

Rosamonde le rejoint d'un pas pressé et ajoute :

« Il s'agit de la mort de notre père.

— Dieu ait son âme, murmure Gascelin avec un sanglot dans la voix.

— Il n'est pas mort de sa blessure qui était très légère. Quelqu'un l'a fait mourir.

— Quelqu'un ? s'étonne Gascelin en ouvrant des yeux ahuris. Mais qui ? »

Rosamonde baisse la voix :

« Thibaut de Sauvigny.

— Thibaut !

— Je t'ai déjà dit qu'il fallait se méfier de lui. C'est un hypocrite. Comme les autres familiers, il dort dans la chambre de Raoul. Pourtant, il médite d'affreux projets. »

Gascelin paraît méfiant.

« Mais comment aurait-il tué mon père alors qu'il était avec moi à la poursuite de Foulque de Mont-cornet ?

— Avant de te rejoindre, il s'est approché du blessé sur le champ de bataille et...

— Et alors ? s'impatiente Gascelin.

— Il l'a touché avec la pierre qu'il porte dans la boucle de sa ceinture et qui a le pouvoir de donner des maladies mortelles.

— Je ne te crois pas.

— Alors, demande-lui de toucher Éléonore avec cette pierre. »

*

Le lendemain, dans la grande salle, à la fin du repas du soir, les serviteurs apportent des tisanes épicées et du vin liquoreux. La musique est allègre, les convives sont de belle humeur et les conversations vont bon train. Soudain Gascelin, le visage tendu, les poings serrés, se dresse gauchement.

« J'ai quelque chose à vous dire. »

La voix de Gascelin n'est pas très puissante, et certains chevaliers continuent à deviser avec leurs voisins.

« Silence, réclame Raoul, mon frère désire prendre la parole. »

Et, bienveillant, il se tourne vers l'orateur.

« Allez, parle, Gascelin : qu'as-tu à nous dire ?

— Je m'adresse au chevalier Thibaut de Sauvigny. Thibaut, possèdes-tu une boucle à ta ceinture ?

— Comme tout le monde, répond Thibaut en souriant.

— Cette boucle contient-elle une pierre ? »

Le chevalier pâlit et murmure :

« En effet.

— Peux-tu toucher ma sœur Éléonore avec cette pierre ? »

Thibaut blêmit.

« Jamais je ne ferai une chose pareille.

— Et pourquoi ? »

Thibaut reste silencieux.

« Eh bien, je vais vous dire pourquoi », reprend Gascelin.

Autour de la table, chevaliers et dames l'écoutent avec étonnement et curiosité.

« Dépêche-toi de t'expliquer », dit Raoul, agacé.

Gascelin respire fort et débite d'un seul trait :

« Thibaut de Sauvigny est un traître.

— Tu te moques, rétorque Raoul. Tu ne peux accuser l'un d'entre nous sans donner d'explication. »

Gascelin jette un coup d'œil vers Rosamonde, comme s'il cherchait à puiser de la force dans ses yeux, et déclare :

« Barons, vous vous souvenez tous que la flèche qui frappa mon père n'était pas entrée profondément dans sa chair. Et pourtant, il est mort. »

Des murmures parcourent l'assistance. Le jeune comte de Blois demande le silence et s'adresse à Thibaut :

« Ta pierre a-t-elle le pouvoir de provoquer des blessures mortelles ?

— Oui », avoue le chevalier qui regarde autour de lui ses compagnons.

Tous baissent la tête, embarrassés. Seule, Rosamonde le toise, un sourire de triomphe aux lèvres.

« C'est une traîtrise de Rosamonde, se dit Thibaut. Quand lui ai-je donc parlé de la pierre d'Hadelize ? »

Il rougit violemment en se rappelant le premier dîner au château, alors qu'il se sentait si joyeux. Certainement, ce soir-là, il a trop parlé à sa voisine. Mais se peut-il que Rosamonde ait l'âme aussi noire ? Tout lui devient clair, subitement. L'amour et la jalousie de Rosamonde, son désir de vengeance qui allume dans ses yeux la lueur farouche et cruelle remarquée par Torticolis. En face de tant de perfidie, il se battra avec ses propres armes : la vaillance et la loyauté. S'efforçant de rester calme, il se tourne vers Raoul.

« Sire, je ne toucherai pas ta jeune sœur, car Gascelin a raison : ma pierre a bien le pouvoir de provoquer une maladie mortelle. Mais je jure, par le Dieu tout-puissant, n'avoir jamais atténté à la vie de ton père pour lequel j'avais fidélité et amour.

— Quelle raison avons-nous de te croire ? » objecte Rosamonde.

L'assistance, qui sort d'un hiver monotone, frémit d'excitation. Thibaut reprend la parole :

« Sire, j'affirme que ceux qui m'accusent sont

mauvais de cœur, menteurs et fourbes. J'en appelle, pour que justice soit faite, au jugement de Dieu, afin de prouver par duel que les accusations portées contre moi sont sans fondement. »

Raoul paraît soulagé par cette proposition et se tourne vers son frère cadet.

« Gascelin, acceptes-tu l'ordalie ? »

Gascelin se met à trembler.

« Aurais-tu peur du jugement de Dieu ? insiste Rosamonde.

— Non, murmure Gascelin, affolé. Non, je l'accepte.

— Le combat aura lieu demain, dans la plaine, conclut Raoul. Le vaincu quittera immédiatement ce château. Je ne veux pas de félon sous mon toit. Dieu se chargera de le punir. »

*

Lorsque, après le repas de midi, Éléonore arrive dans la plaine, tout est prêt pour l'ordalie. Les paysans ont quitté leurs champs pour assister au spectacle et les enfants qui s'impatientent jouent à saute-mouton. Sur des bancs, sont assises les dames et demoiselles, tandis que les chevaliers, écuyers, valets et serviteurs commentent à grands éclats de voix la cérémonie. À qui Dieu donnera-t-Il raison ?

Éléonore s'avance à pas lents.

« Je n'aurais pas dû venir, dit-elle. Je ne supporterais pas d'assister à ce combat. Imagine que Thibaut soit blessé, je hurlerais de douleur comme un loup dans la forêt. »

Finette l'interrompt brutalement :

« Excusez-moi si je vous gronde, ma demoiselle, mais en tant que sœur du comte de Blois, vous devez vous comporter avec honneur, dans un maintien noble et tranquille. »

Éléonore lève un visage éploré.

« C'est impossible. Ne vois-tu pas que je brûle d'amour et d'anxiété ?

— Justement, personne ne doit soupçonner votre amour. Aujourd'hui, les bouches jalouses blâmeraient votre passion.

— Je me sens faible. J'ai les jambes toutes molles.

— Allons, prenez mon bras et soyez belle et avenante comme il convient. »

Maintenant, Raoul s'avance, accompagné du prêtre qui porte les reliques de saint Martin, sorties, pour cette circonstance exceptionnelle, de la chapelle du château. Puis, dans un grand silence, arrivent Thibaut et Gascelin, tout armés, leur heaume lacé, leur bouclier au cou, leur épée ceinte. Le maître du combat vérifie les épées des adversaires et les place, l'un en face de l'autre, à la bonne distance. Puis il décrète :

« Le combat s'arrêtera au premier sang. Chevaliers, que le duel commence. »

*

Les combattants, tous deux en même temps, tirent leurs épées nues.

« Par le glaive de Dieu, à moi, *Santacrux* ! » s'écrie Thibaut.

Les épées flamboient dans les rayons du soleil et se heurtent avec violence. Éléonore a la tête qui lui tourne. Elle sent la terre basculer et le flamboiement des épées se confondre avec celui du soleil.

« Je vais m'évanouir », murmure-t-elle.

Finette lui saisit énergiquement la main.

« Ayez du courage, ma demoiselle, fermez les yeux et ne pensez qu'à une seule chose : vous tenir bien droite. »

Éléonore baisse les paupières, l'esprit concentré sur le bruit métallique des armes, ponctué par les encouragements des enfants.

« Vive le chevalier au bouclier vert !

— Hourra, pour le chevalier Gascelin ! »

Parfois, l'assistance se tait, retient son souffle. Éléonore n'entend plus que le chant des oiseaux, indifférents à ce grand tumulte de passion. Puis le cliquetis des épées reprend à nouveau, accompagné par les cris de la foule.

Enfin, après un bref silence, s'élève une longue clameur.

« Le combat est terminé », proclame le maître du combat.

Éléonore ouvre enfin les yeux. Le bras droit de Gascelin saigne à travers le haubert. Thibaut, le visage grave, remet *Santacrux* dans son fourreau. Éléonore joint ses deux mains, referme les yeux et murmure :

« Merci, mon Dieu, merci de lui avoir rendu justice. »

5

Les félonies de Rosamonde

Dans la cour du château, chevaliers et dames commentent avec entrain l'ordalie. Raoul serre Thibaut sur son cœur, tant il est heureux d'être assuré de la loyauté de son ami. Pendant que son écuyer roule hauberts et chemises, chausses et tuniques pour le voyage, Gascelin, seul dans la grande salle encore déserte, se sent abandonné de tous. Qui se soucie de lui ? Qui le regrettera ? Qui s'inquiétera de le savoir errant par les chemins ? Ah, pourquoi a-t-il écouté sa sœur ?

À ce moment-là, Rosamonde, étincelante dans sa robe écarlate, entre dans la pièce, les yeux sombres, l'air inflexible.

« Je te cherchais », dit-elle.

Gascelin détourne la tête.

« Je ne t'écouterai plus. Tu m'as fait assez de mal en me forçant à accuser Thibaut.

— Tout cela est du passé. Maintenant, il faut songer à l'avenir : soit tu erres comme un gueux, soit... »

Gascelin relève la tête.

« Soit ?

— Tu deviens comte de Blois. »

Gascelin n'a pas l'air de comprendre.

« C'est Raoul, le comte de Blois, rappelle-t-il naïvement.

— Pour le moment. Mais il peut disparaître.

— Parles-tu sérieusement ?

— Avoir un accident, par exemple. »

Gascelin est éberlué. Rosamonde lui prend le menton, le fixe droit dans les yeux et déclare d'un ton impératif :

« Il n'y a plus personne en haut du donjon. Je viens d'envoyer le soldat de garde surveiller dans la forêt un feu qui n'existe pas. Tu n'as qu'à emmener Raoul dans la tour. Fais vite... sinon tu seras obligé de partir demain matin. »

Rosamonde, d'un pas rapide, quitte la grande salle. Gascelin est abasourdi. Des sentiments violents et contradictoires agitent son âme. Parfois, il est terrifié à la perspective d'une action aussi abominable, parfois l'espoir d'être comte le remplit d'orgueil et de bonheur. Pendant qu'il se livre à ses tergiversations, il entend la voix joyeuse de Raoul qui se rapproche. Le jeune comte entre dans la salle, le sourire aux lèvres. Dès qu'il aperçoit Gascelin, son visage s'allonge et prend une expression méprisante.

« Je ne te savais pas menteur, dit-il. Mais sans doute ton cœur n'est-il plus sensible au déshonneur. »

L'affront réveille la colère de Gascelin et le désir farouche de se venger de l'humiliation que lui inflige son frère. Sans l'avoir réellement décidé, il s'entend dire :

« Frère, quoique tu m'en considères indigne, je souhaiterais faire une dernière promenade avec toi, tout en haut du donjon, comme lorsque nous étions enfants et que nous comptions les étoiles. Ce souvenir des temps heureux rendrait moins amer mon départ. »

Raoul ne paraît pas très enthousiaste mais, généreusement, il répond :

« Si cela te fait vraiment plaisir !

— Je te remercie. Cette promenade compte beaucoup pour moi. »

*

Les deux frères franchissent la « chemise », première enceinte qui donne accès au donjon. Raoul

111

s'empare, sur le sol, d'une échelle et la dresse contre le mur pour accéder à la porte d'entrée qui se trouve à l'étage. La première salle est vide, car les gardes, partis pour assister à l'ordalie, ne sont pas encore revenus.

« Allons vite, montons », dit Raoul, pour se débarrasser rapidement d'une promenade qui ne l'amuse guère.

Par un escalier en colimaçon taillé dans l'épaisseur de la paroi, les deux frères montent trois étages et accèdent à la terrasse où flotte la bannière. Raoul examine le chemin de ronde et s'étonne :

« C'est curieux, il n'y a aucun garde pour surveiller la plaine. Je m'en plaindrai, ce soir, au dîner. »

Puis il suit un moment des yeux le vol des alouettes au-dessus de la tour, s'installe devant les créneaux et regarde la plaine autour des méandres de la Loire.

« Voilà, déclare-t-il, le beau pays que tu voulais voir une dernière fois. »

Puis, d'un ton impatient, il ajoute :

« Maintenant, redescendons. »

Mais Gascelin brusquement se jette sur lui, le saisit par les chevilles, le soulève et le fait basculer au-dessus du parapet. Puis il recule d'un pas, reste immobile au milieu des alouettes qui continuent à voltiger gaiement. Peu de temps après, parviennent, du bas du donjon, les cris et les lamentations de

Rosamonde. Alors Gascelin comprend que son frère est mort et il se précipite dans l'escalier.

Arrivé sur la terrasse du donjon, il retrouve lenteur et dignité pour s'approcher innocemment du corps de Raoul écrasé au sol.

« Que s'est-il passé ? demande-t-il.

— Tout va bien, murmure-t-elle, personne ne t'a vu. »

Puis elle ajoute, en simulant de gros sanglots :

« Raoul est mort. On l'a jeté du haut du chemin de ronde.

— Mais qui ? » demande Gascelin.

Rosamonde tend un doigt menaçant vers un garde qui s'avance, étonné de la présence de ses maîtres.

« C'est lui, c'est lui le meurtrier », déclare Rosamonde.

Le garde découvre avec affolement le corps inanimé de Raoul.

« C'est toi qui l'as tué, insiste la jeune fille. Tu gardais le chemin de ronde en haut du donjon. »

Le garde bafouille d'indignation :

« Mais c'est vous, ma... ma demoiselle, vous qui... qui m'avez ordonné de descendre et... et ordonné d'aller dans la forêt. »

Les soldats de la salle de garde débouchent à leur tour sur la terrasse, et se taisent, intrigués et prudents. Gascelin, qui devine le danger d'une discussion éventuelle, s'empresse d'ordonner d'une voix étranglée :

« Pendez ce garde, immédiatement, il vient d'assassiner le comte de Blois. »

Et, courageusement, il regarde les soldats dans les yeux. Ceux-ci, après un moment d'hésitation, s'approchent du meurtrier supposé.

« Pendez-le, répète Gascelin, et ramenez le corps du comte de Blois au château afin que nous puissions le veiller jour et nuit comme il le mérite. »

Et, sans s'attarder davantage, le cœur battant à tout rompre dans sa poitrine, prêt à pleurer, il se dirige vers le logis.

*

Cette nuit-là, la lune, toute ronde, éclaire comme en plein jour. Barnabé et Torticolis sortent de la cuisine et font quelques pas au pied du logis dans la cour de la deuxième enceinte. Par la fenêtre ouverte de la chambre seigneuriale parvient la litanie des prières pour l'âme de Raoul. Barnabé avance maladroitement, en zigzag.

« Tu as trop bu, ce soir, constate Torticolis.

— C'est que j'avais trop d'idées dans la tête, des idées qui me font peur. »

Barnabé fait encore quelques pas maladroits, tend un bras et demande :

« Dis-moi, toi qui prétends voir mieux que les autres avec ta tête penchée, que vois-tu là ?

— Je vois un pendu.

— Moi aussi. »

En effet, dans la cour, près de la porte du deuxième rempart, le garde tenu pour responsable de la mort de Raoul pend pitoyablement à un gibet.

« Et que vois-tu sur la main droite de ce pendu ?

— Sur sa main, je vois une longue cicatrice qui couvre le revers jusqu'au poignet.

— Et, à ton avis, quelle est la cause de cette cicatrice ?

— Elle ressemble à la morsure d'un loup.

— Alors, dit Barnabé gravement, je vais retourner boire à la cuisine. »

Torticolis lui saisit un bras.

« Qu'est-ce qui te prend ? De quoi as-tu peur ? »

Barnabé, la bouche très pâteuse, explique gravement :

« Écoute-moi bien, Torticolis. Cet après-midi, en cherchant du bois pour tailler des épieux, j'ai rencontré dans la forêt un garde, un garde envoyé par la demoiselle Rosamonde pour surveiller un feu qui n'existait pas. Ce garde avait à la main droite une grande cicatrice comme celle-là et m'a dit l'avoir attrapée au cours d'une chasse au loup. Alors j'ai peur...

— De quoi ?

— Peur de penser que, pendant que ce garde était dans la forêt avec moi, il ne poussait pas le seigneur Raoul du haut du donjon et que quelqu'un d'autre...

— Chut, fait Torticolis. Méfions-nous. Allons parler dans l'écurie. »

*

La chandelle qui vacille fait trembler les personnages peints sur les murs. Rosamonde roule sa chemise sous l'oreiller, tire les rideaux du lit et se couche près d'Éléonore déjà allongée sous les draps.

« Cesse de pleurnicher, dit Rosamonde.

— Je suis tellement triste, sanglote la demoiselle. Raoul était si gentil.

— Gascelin est gentil aussi.

— Oh ! Ce n'est pas la même chose ! Il est moins fort, moins gai, moins affectueux.

— Que t'importe ! remarque perfidement Rosamonde. Bientôt tu épouseras Foulque de Montcornet. »

Éléonore se redresse brutalement.

« Jamais, s'exclame-t-elle avec violence, jamais. Plutôt aller dans un couvent.

— Tu n'auras pas le choix. Il te faudra obéir au nouveau comte de Blois. Il a déjà donné sa parole à Foulque, le soir de la bataille où notre père a reçu une flèche.

116

— Alors, je me tuerai. »

Rosamonde s'esclaffe :

« Se tuer ! Tu en es bien incapable, pauvre petite sotte.

— Je n'épouserai personne d'autre que Thibaut. Mais toi, ma pauvre Rosamonde, que peux-tu comprendre à l'amour ? »

Les yeux de Rosamonde brillent dans la pénombre.

« Parce que tu crois que l'amour, c'est sourire, chanter, mettre des belles robes, sourire encore. Moi, je sais que l'amour, c'est être capable de vendre son âme au Diable. »

La voix de Rosamonde est si étrange, ses propos si surprenants qu'Éléonore se trouble. L'étrange sort de Raoul, la promesse faite par Gascelin à Foulque de lui donner sa cadette en mariage, le caractère violent de Rosamonde, toutes ces idées se mélangent dans sa tête et conduisent à une seule et alarmante conclusion : son amour est en danger. Avec son art habituel de la comédie, Éléonore s'exclame d'un ton éploré :

« Oh ! j'étouffe ! Le chagrin m'oppresse. Il faut que j'aille respirer un peu d'air frais. »

En un instant, elle saute sur les fleurs aromatiques qui tapissent le sol, marche à travers les lits de sangles où dorment les servantes, s'approche d'un coffre dont elle tire un tissu, et rejoint la fenêtre éclairée par la lune. Prestement, elle accroche au pilier de pierre qui sépare la fenêtre en deux sa longue écharpe grise.

*

Dans la cour, Thibaut sort du logis, mécontent, et se tourne vers Barnabé et Torticolis.

« Pourquoi êtes-vous venus me chercher pendant que je veillais Raoul, mon seigneur et ami ?

— C'est que nous avons des choses importantes à vous dire.

— Ce n'est pas une raison pour me déranger dans mon chagrin.

— Vous aurez bientôt d'autres chagrins, si vous ne nous écoutez pas, dit Torticolis avec humeur.

— Alors, parle vite. »

Torticolis se rapproche de son maître et lui explique à voix basse que Rosamonde et Gascelin ont fait mourir Raoul. Thibaut rit.

« Ce sont là des songes de jongleur. Tu as trop d'imagination, Torticolis.

— Mais enfin, intervient Barnabé en titubant, puisque j'étais avec le garde dans la forêt...

— Toi, tu as trop bu, rétorque Thibaut. Vous divaguez tous les deux. »

Torticolis insiste de sa jolie voix cristalline :

« Je vous ai pourtant prévenu qu'elle est une garce folle. Pourquoi êtes-vous si incrédule ? »

118

Le ton du jongleur est si grave, que Thibaut reste perplexe. Hésitant sur la conduite à tenir, il laisse son regard errer lentement sur les remparts, la chapelle, les écuries, le logis et s'arrête à la fenêtre de la chambre des dames. Là, nonchalamment agitée par le vent, pend une écharpe grise dont la soie scintille sous la lune.

« Éléonore, murmure Thibaut. Éléonore a mis son écharpe grise. Il s'est passé quelque chose d'imprévu.

— C'est justement ce que nous essayons, en vain, de vous faire comprendre, soupire le jongleur.

— Je suis énervé, dit Thibaut pour s'excuser. Maintenant, Barnabé, raconte-moi en détail ton histoire de garde. »

Lorsque l'écuyer a fini son récit, Thibaut ordonne :

« Nous partirons demain, quand sonneront les laudes. Toi, Barnabé, prépare les chevaux et les armes. Toi, Torticolis, trouve le moyen de prévenir Éléonore. Moi, je retourne à la veillée, puis j'irai m'allonger sur un lit dans la grande salle pour ne pas éveiller les soupçons. »

*

Immobile, les yeux grands ouverts, le souffle court, Éléonore attend un signe de la part de Thibaut. À côté d'elle, Rosamonde respire régulièrement et paraît dormir. Le temps s'écoule avec une lenteur désespérante. Éléonore voudrait arpenter sa chambre, courir à la fenêtre, mais elle craint de réveiller sa sœur. Soudain, lui parviennent quelques notes de vielle, puis la voix cristalline de Torticolis :

« L'oiseau s'envolera quand laudes sonnera,
Près du pont-levis sa cage ouvrira,
Avec le chevalier très vite s'enfuira.
Si tu m'entends, douce amie de mes rêves,
Si tu m'entends, tire l'écharpe de soie,
Tire lon laine, tire lon la,
Trois petits tours et puis s'en va. »

Éléonore jette un bref coup d'œil sur Rosamonde qui semble toujours endormie. Très doucement, elle se lève, écarte le rideau, traverse la salle, va à la fenêtre pour décrocher l'écharpe grise, s'approche de Finette et murmure très bas :

« Réveille-toi. Dès que sonneront les laudes, nous nous enfuirons avec Thibaut. Nous le retrouverons devant la porte du pont-levis. »

Éléonore se recouche. Rosamonde n'a pas bougé. Éléonore soupire de soulagement. Que le temps passe lentement ! Les matines sonnent. Trois heures encore à attendre. Trois heures avant de retrouver Thibaut, Thibaut au sourire éclatant, si gai, si heureux, si hardi, Thibaut sans qui elle ne saurait vivre.

Rosamonde sourit dans l'obscurité.

Que croient-ils, ces imbéciles : qu'elle peut dormir une nuit pareille ? Éléonore, cette menteuse, fait certainement semblant d'être endormie, mais cela n'a pas d'importance.

À son tour, elle écarte les rideaux du lit, foule les fleurs, se dirige vers le coffre, l'ouvre, en sort une paire de gants fourrés, et quitte la chambre des dames. Éléonore s'inquiète mais n'ose pas bouger.

Rosamonde ouvre avec précaution la porte de la grande salle. Deux chandelles se consument lentement. Sur les lits de sangles, les chevaliers dorment en ronflant. Rosamonde repère vite la chevelure blonde de Thibaut. Le chevalier s'est laissé surprendre par un lourd et profond sommeil. Un léger sourire erre sur ses lèvres, trace d'un rêve heureux. Sous l'oreiller est allongée la ceinture à la boucle vermeille. Avec soin, Rosamonde enfile les gants pour protéger ses mains, ouvre la boucle, s'empare de la pierre d'Hadelize, et s'en va aussi furtivement qu'elle est venue.

Inexorable, tout entière emportée par son sinistre projet, Rosamonde rejoint la chambre des dames. Elle s'approche du grand lit, entrouvre le rideau. Devant son visage implacable, Éléonore pousse un cri.

« Trop tard », murmure Rosamonde.

Et elle pose la pierre magique contre le front de sa sœur, qui gémit de douleur. Indifférente, Rosamonde reprend la pierre, saisit son manteau écarlate, sort de la chambre, puis du logis et monte sur les remparts. Elle court sur le chemin de ronde, longue silhouette éclatante, les cheveux noirs flottant au vent. Arrivée sur la troisième enceinte, elle jette la pierre dans les douves.

Finette est soucieuse. Que signifient tous les déplacements de Rosamonde et le gémissement de sa maîtresse ? Saisie par un sombre pressentiment, elle enfile sa chemise, s'approche du grand lit à baldaquin, entrouvre le rideau et étouffe un cri d'horreur. La belle peau blanche comme le lait est couverte de grosses cloques noires. Les paupières sont toutes gonflées et les lèvres couvertes de boutons.

« J'ai mal, j'ai très mal au visage, gémit Éléonore.

— Levez-vous tout de suite. Il nous faut partir d'ici au plus vite.

— Je n'ai pas la force de bouger. Je suis tellement lasse.

— Que Dieu nous protège », murmure Finette en s'enfuyant.

*

« Chevalier, chevalier, réveillez-vous, votre demoiselle chère est en danger. »

Thibaut sursaute.

« Ah ! c'est toi, Finette. Je me suis stupidement endormi. Quelle heure est-il ?

— Les laudes viennent d'être sonnées. Ma maîtresse est très malade. »

Thibaut se précipite dans la chambre des dames, lorsque Rosamonde, le visage triomphant, son manteau écarlate sur les épaules, apparaît dans l'embrasure de la porte.

« Maintenant, tu peux partir avec ma sœur, chevalier. Je l'ai touchée avec ta pierre magique et, bientôt, elle sera un cadavre dans tes bras.

— Garce obstinée et folle, dit Thibaut en prenant Éléonore dans ses bras.

— Sache que je la hais, murmure Rosamonde, parce qu'à cause d'elle tu m'as dédaignée. Jamais, moi vivante, vous ne serez heureux ensemble. »

Fou de chagrin, Thibaut bouscule Rosamonde et court jusqu'au pont-levis. Barnabé et Torticolis attendent avec les montures. Thibaut allonge Éléonore sur l'encolure de son cheval et monte derrière elle.

« Reste ici, Finette. J'emmène Éléonore chez Hadelize. Surveille tout ce qui se passe au château. »

Les cavaliers s'éloignent au grand galop.

« Que Dieu la sauve, murmure la servante.

— Arrête de pleurer, Finette, supplie Gui, le portier. La demoiselle Éléonore m'a déjà tout angoissé. »

*

Deux jours plus tard, par une claire matinée, les cavaliers montent difficilement un chemin escarpé et pierreux. Barnabé soupire :

« Dire que nous étions dans un beau château, bien logés, bien nourris, et que nous avons dû fuir pour errer misérablement. Cela fait deux jours que nous n'avons rien mangé. »

Torticolis prend un ton conciliant :

« Ainsi tu auras jeûné, comme le veut la religion, deux jours cette semaine.

— C'est que je crains, grommelle Barnabé, que nous jeûnions la semaine entière. »

Arrivés en haut de la colline, l'écuyer s'arrête et montre à l'horizon une vaste et sombre forêt :

« Je la reconnais. C'est la forêt de Biroquie.

— Dieu soit loué ! » s'écrie gaiement le jongleur.

Barnabé reste maussade.

« Ne te réjouis pas trop vite. Il faut encore trouver le chêne aux trois nids d'hirondelle. »

Lorsque le cheval de Thibaut atteint à son tour le sommet, tous deux jettent un coup d'œil inquiet à leur maître dont le visage est creusé par la peine et le souci. Éléonore somnole sur l'encolure du palefroi et gémit, de temps à autre, des propos incohérents.

« Je crains, fait à mi-voix Torticolis, que la démence s'empare de la tête de la demoiselle. »

Mais Thibaut a entendu son jongleur.

« Chante, Torticolis, au lieu de dire des sottises. Chante pour adoucir la douleur de mon amie et consoler son cœur. »

Tous redescendent vers la forêt, accompagnés par la voix claire du jongleur :

> *« Le chêne aux trois nids d'hirondelle,*
> *C'est pour guérir la demoiselle,*
> *Lui redonner une peau belle*
> *Et rendre à tous joie nouvelle. »*

*

Pendant que Thibaut et ses compagnons cherchent la magicienne, Gascelin de Blois reçoit l'hommage de ses vassaux. Tous, chevaliers demeurant au château et seigneurs possédant en fief des domaines concédés par le comte de Blois, sont venus faire les gestes d'alliance et de fidélité. C'est maintenant à Foulque de Montcornet que Gascelin demande :

« Veux-tu être mon homme ?

— Je le veux, répond Foulque. Et pour sceller notre alliance, conformément à la parole que tu m'as donnée, je te prie de m'accorder pour épouse ta sœur Éléonore.

— Je te la donnerai », répond Gascelin d'une voix incertaine.

Foulque jette un regard méfiant sur l'assistance.

« Je m'étonne cependant de ne point la voir dans cette salle.

— Elle est un peu souffrante et garde la chambre. »

Foulque ne paraît pas convaincu par les propos du nouveau comte.

« La mort de ton frère Raoul a été bien mystérieuse. Je ne voudrais pas qu'un étrange accident arrive à ta jeune sœur.

— Que veux-tu dire ? » demande Gascelin en rougissant.

Foulque lui jette un regard froid.

« Je dis que, si je n'ai pas revu ta sœur d'ici huit jours, je romprai l'hommage que je te dois, et te déclarerai une guerre sans merci. »

Surpris par des propos aussi insolents, les barons se regardent avec étonnement. Un malaise plane dans la salle. Le nouveau comte de Blois paraît hésitant et confus. Alors s'avance Rosamonde.

« Pourquoi, sire, se quereller en ce beau jour et rappeler de tristes souvenirs ? Dès qu'Éléonore sera remise, nous célébrerons ses noces avec le seigneur de Montcornet. »

*

Pendant que les barons et les dames, en attendant que le cor sonne le repas, s'amusent des cabrioles d'un jongleur, Rosamonde entraîne Gascelin dans la chambre seigneuriale.

« Nous partirons, dès demain, retrouver Éléonore et Thibaut. »

Gascelin a un geste d'agacement.

« Cesse de me parler d'eux sans arrêt. Je suis très content qu'ils soient partis, leur présence me rappelait trop Raoul.

— Il faut ramener Éléonore, morte ou vive, à Foulque de Montcornet. »

Gascelin rit nerveusement.

« Pourquoi ? S'il m'attaque, nous ferons la guerre. C'est amusant la guerre, tu ne trouves pas ?

— Cela ne m'amuse pas. »

Les mains de Gascelin tremblent fébrilement.

« Tu crois que je suis stupide et que je n'ai rien compris à ta vengeance. Tu veux te débarrasser d'Éléonore en la donnant à Foulque, et garder Thibaut prisonnier, ici, pour toi toute seule. »

Rosamonde prend une expression féroce.

« Ne répète jamais de pareils propos. Et fais ce que je t'ordonne. Sinon, j'annoncerai à tous que tu es l'assassin de ton frère Raoul. »

Gascelin sent brusquement le piège se refermer sur lui et serre les poings de rage impuissante. L'ivresse qu'il a connue en étant comte se dissipe en un instant et il ne reste plus que la peur et la honte d'être soumis au pouvoir de Rosamonde. Celle-ci le regarde avec une expression amusée, hausse les épaules et sort de la pièce.

*

À la fin du jour, les trois compagnons errent toujours dans la forêt, cherchant en vain trois nids d'hirondelle dans les feuillages des chênes.

« Nous ne trouverons jamais..., soupire Barnabé.

— Veux-tu la mort d'Éléonore ? » demande Thibaut, d'une voix sinistre.

Barnabé, piteusement, baisse la tête. Torticolis se remet à chanter pour égayer l'atmosphère :

> *« Le chêne aux trois nids d'hirondelle,*
> *C'est pour guérir la demoiselle,*
> *Lui redonner une peau belle*
> *Et rendre à tous joie nouvelle. »*

Puis le silence se fait à nouveau entre les cavaliers. Chacun jette de brefs coups d'œil alarmés sur Éléonore, défigurée, affaissée sur le cheval, les membres ballants comme des branches mortes. Chacun appréhende en secret l'avenir. Soudain, une voix grave et douce interrompt leurs méditations :

« Vous cherchez la fée Hadelize ? »

Les trois cavaliers se retournent vers un vieil ermite, à la longue barbe grise, au crâne tonsuré, aux yeux clairs enfoncés sous d'épais sourcils, qui s'avance pieds nus, une peau de chèvre sur les épaules.

« Comment le sais-tu ? demande Barnabé.

— J'ai entendu la chanson du jongleur. Alors je suis venu vous indiquer le chemin. La demoiselle paraît bien malade.

— Tu es notre dernier espoir, dit Thibaut. Sais-tu où se trouve le chêne aux trois nids d'hirondelle ? »

Le vieil ermite indique une direction.

« Le chêne se trouve sur ce chemin. Mais pour y accéder, il vous faudra passer trois épreuves.

— Nous les passerons, répond Thibaut. L'amour est plus fort que la mort. »

Barnabé fait un signe de croix.

« Seigneur, protège-nous. Je sens que nous voilà encore en grand péril. »

6

Le chêne aux trois nids
d'hirondelle

La forêt est ténébreuse et sinistre. Plus un seul gazouillis d'oiseau, plus un craquement de pattes d'écureuil dans les branches. Seuls, les plaintes d'Éléonore et le bruissement des feuillages au passage des chevaux interrompent le pesant silence.

« Je me sens très nerveux, grommelle Barnabé. Chante, Torticolis, chante, car cet endroit est lugubre. »

Torticolis entonne une lente et funèbre mélodie :

> *« Ô forêt enchantée,*
> *Tu vas nous envoûter*
> *Par tes charmes cachés. »*

« Arrête, s'écrie Barnabé. C'est encore plus lugubre quand tu chantes.

— Je ne peux plus avancer, annonce Thibaut.

— Que se passe-t-il ? Un buisson de ronces ? demande Barnabé.

— Non, rien. Il n'y a rien.

— Comment ça, rien ? » s'étonne l'écuyer qui rejoint son maître et se trouve à son tour arrêté par une invisible barrière.

Thibaut sort son épée, la brandit, mais *Santacrux* est arrêtée en l'air. Exaspéré, le chevalier frappe avec rage mais ne fait que provoquer, à chaque coup, un bruit perçant.

Brusquement, surgit un gnome noir comme du charbon, avec un large visage rectangulaire et une peau de rat. Il se redresse sur ses deux pattes de derrière et s'écrie d'une voix suraiguë :

« Arrêtez ce vacarme. J'ai les oreilles écorchées par le bruit grinçant de cette épée contre le mur.

— Quel mur ? s'enquiert Barnabé.

— Le mur transparent.

— Peux-tu nous aider à le franchir ? demande courtoisement Thibaut. Nous sommes pressés de voir Hadelize car mon amie se meurt. »

Le gnome jette un regard dégoûté sur Éléonore.

« Elle est bien laide. Enfin, si vous le désirez, je peux vous ouvrir la porte transparente.

— Alors dépêche-toi, dit Thibaut qui s'impatiente.

— Il faut d'abord que tu me donnes à manger.

— Ce n'est pas le moment d'avoir faim, s'indigne Barnabé.

— Il n'empêche que je meurs de faim.

— Donne-lui le pain qui nous reste », soupire Thibaut.

Le gnome part d'un fou rire strident qui fait trembloter son gros ventre.

« Je n'ai pas faim de pain.

— De quoi alors ? s'enquiert Barnabé.

— C'est une devinette », répond le gnome en dévoilant ses dents carrées.

Les trois compagnons énumèrent le beurre, le lait, le porc, la biche, le daim, le sanglier, le lièvre, l'ours, le miel, le jambon, le boudin, les fruits, la bouillie de froment, les huîtres, les poissons, mais en vain. À chaque proposition, le gnome se dandine en faisant tressauter son gros ventre.

« C'est petit, rond, et cela brille », finit-il par expliquer.

Barnabé pâlit.

« J'ai deviné », murmure-t-il.

Et il tire d'une bourse, dissimulée dans ses braies, un denier.

Les yeux du gnome brillent de convoitise et il

ouvre sa bouche toute grande. Barnabé lance la
pièce que le gnome avale aussitôt.

Puis il ouvre la bouche à nouveau.

« J'ai encore une grosse faim. »

Barnabé a les larmes aux yeux de voir s'envoler son bel argent. Dix-huit deniers disparaissent dans la bouche du gnome.

« Comment possèdes-tu tout ce trésor ? s'étonne Thibaut.

— Du tournoi et de la guerre, répond évasivement Barnabé, j'ai gardé quelques pièces.

— Beaucoup, tu veux dire. »

Barnabé éclate d'indignation.

« Heureusement que je suis là et que je prends soin de vous qui ne prévoyez jamais rien. Sans moi, Éléonore serait... »

Barnabé se tait, de peur de prononcer des paroles intolérables.

« C'est la dernière, dit-il, en lançant une pièce.

— Cela ira très bien comme cela, répond le gnome, enchanté. Vous pouvez avancer maintenant. »

*

Les trois compagnons chevauchent lentement dans un lourd silence.

« C'est imprudent de chevaucher la nuit. Le Diable rôde dans les ténèbres », déclare Barnabé.

Ses deux compagnons ne répondent pas.

« Je dis que le Diable rôde dans les ténèbres, répète plus fort l'écuyer.

— C'est vrai, acquiesce au bout d'un moment Torticolis. Le Diable rôde... »

— Et alors, s'indigne Thibaut, vous oubliez la toute-puissance de Dieu ? »

Tous gardent le silence, malgré leur cœur rempli de craintes. Au détour d'un chemin, une large rivière traverse l'épaisse forêt comme un ruban d'argent. Torticolis s'émerveille :

« On dirait un long miroir qui reflète le ciel. »

Et aussitôt d'entamer une chanson :

« *Ô grand miroir, dans la nuit noire, tu es l'espoir...* »

Thibaut l'interrompt sèchement :

« Ce n'est pas le moment de chanter. Cherche plutôt le moyen de faire traverser Éléonore.

— Il y a une barque, là-bas », s'écrie Barnabé.

En effet, dans un méandre de la rivière, flotte une large barque attachée par des fils d'argent aux pattes de dix cygnes. Les trois compagnons s'en approchent et couchent la demoiselle au fond du bateau.

« J'attache les chevaux à un arbre. Nous les prendrons à notre retour », décide Barnabé.

Tous montent dans l'embarcation. Thibaut saisit les fils d'argent et les secoue.

« Allez, cygnes, dépêchez-vous. »

Mais les volatiles restent impassibles. Thibaut a beau tirer sur les fils, pousser des exclamations, les oiseaux restent figés, telles des statues. Devant cette résistance inattendue, Thibaut devient comme un lion en colère. Il saute à terre, ramasse des cailloux et les jette violemment sur les belles plumes blanches. Mais les cygnes ne frissonnent même pas. Alors le chevalier arrache une branche d'arbre et fouette frénétiquement les oiseaux. Mais les coups paraissent aux volatiles aussi doux que les caresses du vent.

« La douleur lui fait perdre le bon sens », constate Barnabé.

Torticolis remarque doucement :

« Pourquoi fouettez-vous ces cygnes ? Ils ne vous ont fait nul tort. »

L'exaspération de Thibaut est à son comble.

« Puisque tu es si malin, Torticolis, déplace ces momies, fais-les voler, montre comme tu es astucieux. »

Torticolis penche un peu plus la tête et, de sa voix cristalline, entame :

> « *Cygnes, doux oiseaux blancs,*
> *Voyez dans quel tourment*
> *Vous plongez les amants.*
> *Élargissez vos ailes*
> *Pour que la douce et belle*
> *Retrouve joie vivement.* »

Aussitôt, les oiseaux s'ébrouent, redressent leurs longs cous et, dans un grand bruit de plumes et de gerbes d'eau, s'envolent vers l'autre rive.

Une fois débarqués, les trois compagnons mettent de la mousse et des fougères dans le bouclier vert et étendent Éléonore sur cette couche improvisée. La demoiselle est aussi inerte qu'une morte.

Thibaut s'agenouille près d'elle.

« Ne laisse pas la mort venir, refuse-la de toutes tes forces. Ne pense qu'à cela : à refuser la mort. Et toi, Torticolis, chante, chante sans t'arrêter un instant pour retenir la vie d'Éléonore. »

Thibaut et Barnabé soulèvent le bouclier et se mettent en marche. Le jongleur chante :

« Que mes mélodies t'enchaînent, Éléonore,
Pour t'empêcher de fuir vers la mort... »

Tandis que Torticolis protège la demoiselle avec de la musique, Thibaut s'avance dans un étroit sentier boueux et agite son pied droit, intrigué.

« Que se passe-t-il ? demande Barnabé.

— Je ne peux plus bouger le pied », explique Thibaut.

En effet, son pied reste accroché à un long ruban de boue qui le rattache au sol et se solidifie aussitôt. Pour dégager son pied droit, Thibaut donne un coup de son pied gauche, mais celui-ci à son tour se trouve surélevé par un pilier de boue.

« Lâchez le bouclier, conseille Barnabé, vous allez faire tomber Éléonore. »

Thibaut laisse doucement glisser le lit provisoire de son amie, et tente de se dégager. Mais dès qu'il soulève ses pieds, les colonnes de boue grandissent et Thibaut se retrouve un peu plus haut que précédemment. Furieux, le chevalier s'énerve, s'agite, se contorsionne, sans d'autres effets que de se diriger un peu plus vers le ciel. Bientôt il dépasse la cime des arbres et paraît de plus en plus petit juché sur ces deux longues colonnes de terre durcie. Alors sa colère fait place à l'inquiétude. Comment trouver un moyen de redescendre ? De toute évidence, s'énerver ne sert à rien.

« Je vais faire une tentative, songe-t-il : laisser mes bottes et m'en aller pieds nus. »

Prudemment, il soulève son pied droit et l'immobilise en l'air. La colonne de boue, surmontée de la botte vide, se maintient solidement dressée. Thibaut soupire de soulagement, quoique le plus difficile reste à faire. Retenant son souffle, il se penche vers la première colonne, la serre dans ses bras, et, une fois bien accroché, tente de retirer son pied de la seconde botte. Mais la botte, bien ajustée à la jambe, résiste. Thibaut s'énerve à nouveau. La tête en bas et la jambe gauche coincée en l'air, il tire et pousse si bien, que le pilier de boue balance trois fois puis s'incline vers le sol entraînant le garçon de plus en plus vite.

« Accrochez-vous aux branches », crie Barnabé.

Thibaut a juste le temps d'attraper la branche d'un hêtre, et le pilier s'effondre dans un fracas épouvantable.

« Si vous êtes vivant, dépêchez-vous, crie Barnabé à Thibaut. Éléonore respire à peine. »

Thibaut, la cheville tordue, descend aussi vite qu'il le peut, en serrant les dents de douleur. Heureusement, au premier détour, ils découvrent une clairière vivement éclairée par un croissant de lune. Le sol est couvert de bleuets, de jonquilles et de coquelicots qui font un tapis multicolore. Au milieu des fleurs, se dresse un superbe chêne où pépient joyeusement des hirondelles. Près de la cime, trois nids sont douillettement installés dans les branchages. Déjà une porte s'ouvre dans le tronc de l'arbre et apparaît Hadelize. Ses cheveux fauves, parsemés ici et là de perles d'or, descendent en longues boucles jusqu'à ses pieds. Sa robe est de soie verte, brodée au col et aux poignets de pierres précieuses brillantes comme des chandelles. Thibaut se met à genoux.

« Ayez pitié, je vous prie, ayez pitié de ma douce amie qui se meurt. »

Hadelize prend l'air contrarié.

« Tu m'as désobéi. Je t'avais interdit de parler de la pierre magique que je t'avais donnée.

— C'est que j'étais si joyeux, explique Thibaut en baissant humblement les yeux.

— La joie n'excuse pas les sottises, répond la magicienne avec humeur.

— Si ma mie meurt, je mourrai aussitôt, reprend Thibaut d'un ton pathétique.

« — Comment te croire ? Qui ment une fois peut mentir cent », déclare Hadelize avec dédain.

Torticolis s'approche de la belle magicienne, et la regarde longuement de ses yeux rêveurs emplis d'une tristesse profonde comme la mer.

« Il en mourra, je vous le jure.

— Oh, non, déclare Hadelize effrayée, ne me regarde pas ainsi, je ne supporte pas la tristesse, elle me rend malade. »

Et d'un geste rapide, elle pose sur le visage terreux d'Éléonore le rubis qu'elle porte à la main droite. Peu à peu, le visage de la demoiselle dégonfle, la peau redevient claire et douce par tout le corps. Hadelize touche le manteau qui retrouve sa belle couleur de paon, les cheveux qui redeviennent dorés et brillants. Éléonore ouvre les yeux, s'assied et s'étonne :

« Qu'est-ce que je fais ici, assise dans un bouclier ?

— Tu es vivante, répond Thibaut.

— Bien sûr que je suis vivante, quelle drôle de réflexion ! »

Puis, voyant Thibaut rire, elle rit à son tour, et chacun est de la plus belle humeur du monde.

« Vous avez assez ri, s'impatiente Hadelize. Venez dans ma demeure, je vais vous faire servir un repas. »

À l'intérieur du chêne, un petit escalier descend dans une maison souterraine, toute décorée de tapisseries, de coussins et de fleurs. Partout des chandelles jettent une vive lumière. Trois petites filles de huit ans, apprenties magiciennes, s'occupent des voyageurs. Elles leur préparent de bons bains parfumés, les revêtent d'habits bien doux et bien fourrés, et les installent devant une table couverte de mets délicieux.

« Qu'apprenez-vous exactement ? demande Éléonore.

— Nous apprenons tout d'abord ce que font les humains. Ensuite nous apprenons à être magiciennes et nous nous spécialisons. »

La deuxième petite magicienne intervient :

« Hadelize, par exemple, est spécialisée dans l'art d'apparaître et de disparaître où elle veut, et dans la guérison des maladies.

— Et toi, que voudrais-tu faire plus tard ? demande Torticolis.

— Je voudrais avoir le pouvoir d'inspirer l'amour.

— Et moi, la haine, déclare la première. »

La troisième apprentie magicienne aux taches de rousseur intervient à son tour :

« Moi, je veux pouvoir tout transformer en or. Mais c'est une spécialité très difficile.

— Pas plus difficile que d'inspirer l'amour, remarque la première magicienne.

— C'est la haine qui est la plus facile à

apprendre. Cela tombe bien car je suis paresseuse, reprend la deuxième.

— Silence, dit Hadelize en frappant dans ses mains. Faites votre travail, mes petites demoiselles. »

Éléonore la regarde avec admiration.

« Je n'ai jamais vu une aussi belle magicienne que vous. »

Hadelize paraît ravie du compliment et s'informe :

« Tu as déjà vu d'autres magiciennes ?

— Oh oui, répond Éléonore avec effronterie. Mais elles portaient trop de bijoux avec des manteaux trop fourrés, elles étaient trop spectaculaires. Tandis que vous, vous êtes parfaite. »

Hadelize rougit de plaisir, et invite ses hôtes à dîner. Tout le repas se passe en joyeuse conversation, sourires, chants et jongleries. Puis chacun va s'endormir dans de grands lits recouverts de moelleuses couettes de plume.

*

Le lendemain, Hadelize apporte dans la clairière un beau palefroi pour Éléonore.

« Trois hirondelles vous montreront le chemin jusqu'à vos chevaux », déclare-t-elle.

Les voyageurs font leurs adieux.

« Je vous remercie d'avoir guéri ma mie, dit Thibaut.

— Je vous remercie d'avoir guéri ma vie, ajoute Éléonore.

— Je vous remercie pour ce très bon lit, insiste Torticolis.

— Je vous remercie... »

Mais Barnabé n'a pas l'occasion de terminer son compliment. Hadelize, que toutes ces politesses importunent, a déjà disparu.

« Elle s'en va vraiment très vite, constate Éléonore.

— Est-ce vrai que vous ayez déjà rencontré d'autres magiciennes ? demande Barnabé.

— Non, jamais.

— Alors tu es une menteuse ! s'exclame Thibaut.

— C'est juste un tout petit mensonge pour mieux faire apparaître la vérité. Comme un petit nuage dans le ciel qui cache un moment le soleil pour mieux faire sentir la chaleur de ses rayons. »

Thibaut regarde Éléonore avec émerveillement.

*

Le chemin est large, l'air est doux, les rayons du soleil font de la dentelle entre les branchages, Thibaut chante à tue-tête :

« Quand je vois ma mie, mon cœur est ravi,
Quand sourit ma mie, mon cœur est soumis. »

« Ne chantez pas pas si fort, conseille Barnabé. Vous allez ameuter tous les habitants de la forêt.

— Quels habitants ?

— Maintenant que la forêt est plus claire et plus dégagée, il y a certainement des brigands. Ce n'est pas la peine de signaler notre présence et de leur faire savoir que nous sommes là, prêts à être battus, dévêtus, malmenés, tués peut-être.

— Je suis trop joyeux. Si je ne chante pas, je vais éclater de bonheur. D'ailleurs, Dieu bénit les bons chanteurs. »

Et il reprend de plus belle :

« Quand je vois ma mie, mon cœur est ravi... »

« Quelle folie ! gémit Barnabé. C'est un vrai malheur, quand il est joyeux. Il parle, il crie, s'agite sans aucune sorte de réflexion. »

Éléonore se met à rire.

« Bien au contraire, Barnabé, ton maître est le plus gai, le plus charmant, le plus délicieux de tous les chevaliers. »

*

À l'orée de la forêt de Biroquie, Gascelin s'adresse à ses compagnons :

« Nous avons suffisamment erré dans ce bois.

145

Rentrons au château où nos barons nous attendent. Nous dirons qu'Éléonore a disparu. »

Contents de rentrer au logis, les chevaliers font faire demi-tour à leurs montures, lorsque Rosamonde tressaille.

« Écoutez... n'entendez-vous pas chanter ? »

À peine perceptibles, portés par la brise, parviennent quelques sons épars et fragmentés.

« C'est sans doute un bûcheron qui se donne du cœur à l'ouvrage, remarque un chevalier.

— Non, non, dit Rosamonde, très émue, c'est la voix de Thibaut.

— Tu connais si bien sa voix ? » s'étonne Gascelin.

Rosamonde hausse les épaules, agacée. À nouveau, on entend :

« ... *mon cœur est ravi...* »

« Il doit être tout joyeux pour chanter comme cela. Éléonore est certainement guérie. Nous allons attendre dans l'obscurité. »

*

Il fait nuit. De temps en temps, une chouette hulule. Des animaux font des bruits furtifs en se faufilant sous les buissons. Rosamonde chevauche la première, pressant son cheval. Bientôt, elle arrive à un carrefour de chemins et s'arrête avec un sourire satisfait : Éléonore dort dans le bouclier vert tapissé de feuilles et de mousse. Auprès d'elle, sur le sol, sommeillent ses trois compagnons.

« Éloignons les chevaux et revenons chercher notre sœur », dit-elle à son frère.

Bientôt deux chevaliers s'approchent des dormeurs, soulèvent doucement le bouclier et l'emmènent dans un campement. Là, ils bâillonnent rapidement la demoiselle et la jettent sur un cheval.

« Partons, ordonne Gascelin.

— Attends un instant », s'écrie Rosamonde.

Elle s'empare du bouclier vert et court jusqu'à la croisée des chemins pour le déposer près de Thibaut.

« Beau chevalier, chuchote-t-elle, je ne te laisserai pas sans bouclier pour te protéger. Tu vois combien je t'aime, et un jour viendra où tu m'aimeras aussi. »

Puis elle lui donne un léger baiser sur le front et s'enfuit.

*

« Jamais je n'ai eu telle peine de ma vie », conclut Thibaut.

Le vieil ermite écoute le chevalier avec attention.

« Mais pourquoi chantais-tu si fort ? demande-t-il.

— J'étais joyeux, et quand je suis joyeux...

— Vous faites des sottises », poursuit Barnabé.

147

Le vieil ermite hoche la tête et, avec un ton de reproche, demande au chevalier :

« Aurais-tu oublié que le Mal nous entoure de toutes parts ?

— Oui, avoue Thibaut, piteusement.

— Moi aussi, je connais ces moments de joie pendant lesquels on néglige l'existence du Diable, confie l'ermite. C'est un péché de légèreté. Il faudra que tu fasses pénitence.

— Pénitence pour avoir été heureux ?

— Pour avoir oublié que notre vie sur Terre est un combat incessant entre le Bien et le Mal.

— Que dois-je faire, alors ?

— Te rendre à Chartres. L'évêque de la ville te donnera l'occasion d'expier ton péché.

— Où est-ce, Chartres ? demande Barnabé.

— C'est un évêché qui appartient au comte de Blois. Vous y apprendrez certainement ce qui se passe au château du comte.

— Avant de faire pénitence, il faut retrouver Éléonore, insiste Thibaut.

— Mais comment savoir où elle se trouve ? remarque Barnabé.

— Moi, je le sais, dit un jeune garçon à la tignasse hirsute et aux yeux pétillants de malice.

— Que sais-tu, étranger ? Réponds-moi vite », s'impatiente Thibaut.

L'étranger reconnaît à ses éperons que Thibaut est un chevalier et lui parle avec courtoisie :

« J'ai vu un homme très fort l'emmener sur un cheval. Il disait à son écuyer : "Maintenant, emmenons-la à Chartres."

— Es-tu bien sûr que c'était Éléonore ? La demoiselle était-elle d'une beauté resplendissante ?

— Oui, d'une beauté que l'on pourrait dire "aveuglante".

— Avec de superbes cheveux blonds ?

— Blonds comme les blés en juillet.

— La silhouette délicate ?

— Comme la tige d'une tulipe.

— Le maintien noble et droit ?

— Comme la statue d'une sainte.

— Nul doute, il s'agit bien d'Éléonore », conclut Thibaut.

Puis il ajoute :

« Et toi, où vas-tu, étranger ?

— Par chance, je vais justement à Chartres.

— Quelle coïncidence remarquable ! constate Torticolis.

— Coïncidence particulièrement heureuse car je n'aime pas voyager seul. J'ai terriblement peur des brigands, avoue le garçon.

— Quel est ton nom ? l'interroge Thibaut.

— Eustache. Je suis étudiant et je me rends à

Paris pour suivre les cours du plus grand maître vivant : maître Pierre.

— Qui est-ce ? demande Barnabé.

— Maître Pierre Abélard. »

Torticolis s'approche de Thibaut et l'éloigne de quelques pas.

« Vous savez que l'œil est le miroir du cœur.

— Tu me l'as déjà dit.

— Eh bien, ce cœur-là est rempli de malice.

— Que veux-tu dire ? s'étonne Thibaut.

— Je pense que cet Eustache vous trompe et qu'il n'a jamais vu votre demoiselle.

— Il a parlé d'une beauté aveuglante. Ce ne peut être qu'Éléonore. Qui veux-tu que ce soit d'autre ? »

Torticolis insiste :

« J'ai déjà rencontré des étudiants dans les tavernes. Souvent ils disent des insolences et des sottises. »

Thibaut prend l'air affligé.

« Pauvre Torticolis. Est-ce une sottise de dire que la beauté d'Éléonore est aveuglante ? Allez, remets ta tête et tes idées droites et dépêchons-nous. »

Eustache s'approche alors du chevalier et lui demande en montrant le beau palefroi blanc de la demoiselle :

« Puis-je monter sur ce cheval sans cavalier ? J'ai

tellement marché que cela me ferait du bien de me reposer un peu.

— Bien sûr, ami. Ainsi tu resteras avec nous et m'aideras à retrouver ma demoiselle. »

Eustache monte maladroitement en selle et se réjouit intérieurement d'avoir trouvé bonne monture et plaisante compagnie.

*

Gascelin, Rosamonde et leur suite arrivent à la nuit tombée au château de Blois. Les chandelles sont déjà éteintes dans les maisons des paysans et artisans, alors que des lueurs éclairent encore les fenêtres du logis.

« Je m'occupe d'Éléonore », dit Gascelin.

Et laissant Rosamonde et les chevaliers regagner la grande salle, il emmène sa sœur bâillonnée vers la « chemise » du donjon. Il dresse l'échelle contre le mur et tous deux montent dans la salle des gardes. Sur leurs lits de sangles, les soldats dorment. Sans faire de bruit, Gascelin prend une grosse clef pendue au mur, passe devant les latrines, puis emprunte avec sa prisonnière un escalier en colimaçon taillé dans l'épaisseur de la muraille. Au rez-de-chaussée, Gascelin ouvre les verrous d'une épaisse porte de bois et pousse sa sœur dans la prison. Là, il lui enlève son bâillon.

« Tu attendras ici jusqu'au jour de ton mariage

avec Foulque, dit-il en essayant de prendre un ton autoritaire.

— Ni menace, ni violence ne me forceront à épouser le seigneur de Montcornet. Si je ne peux m'enfuir dans un couvent, je quitterai la vie le matin de mes noces. »

Gascelin est désorienté par le calme d'Éléonore. Profitant de son silence, la jeune fille s'approche de lui et pose doucement sa main sur son bras.

« Que t'est-il arrivé, frère, pour que tu sois devenu si cruel ? Quand notre père était en vie, tu étais doux et bienveillant. »

Devant le regard clair d'Éléonore, Gascelin baisse les yeux et balbutie :

« Parfois, on commet des actions sans savoir. Après, il est trop tard. »

Puis il se redresse et reprend d'un ton assuré :

« Je suis comte de Blois et tu me dois obéissance et respect. »

*

La prison est une pièce ronde et humide, percée de trois meurtrières où passe l'air froid de la nuit. L'obscurité, la solitude, la fatigue ont raison du courage d'Éléonore. L'avenir lui paraît terrifiant. Son frère l'obligera-t-il à épouser Foulque ? Sinon, aura-t-elle le courage d'abréger sa vie ? Alors qu'arriverat-il si elle se présente devant Dieu sans les sacrements de l'Église ?

Sur le mur qui fait face à une meurtrière, un pâle halo de lumière compose un étrange dessin dont les contours deviennent progressivement plus nets. Éléonore reconnaît bientôt la balance de Dieu. Sur un plateau, des petits diablotins sautent d'allégresse avec d'affreuses grimaces.

« Menteuse, disent-ils, tu es une menteuse. »

Sur l'autre plateau de la balance, des anges vêtus de blanc, à sa vue, détournent la tête. Une voix rocailleuse déclare :

« Tu es condamnée, ma fille, au feu de l'enfer pour l'éternité. »

Éléonore hurle d'épouvante. Le bruit de sa voix l'arrache à son cauchemar. Elle ouvre les yeux. Tout est tranquille autour d'elle. Les meurtrières éclairent d'inoffensives pierres légèrement arrondies. Le silence est total. Il fait froid. Éléonore frissonne, puis s'agenouille pour prier Dieu.

7

Quand Finette
s'occupe de sa maîtresse

Le lendemain matin, Finette sort de la maison de ses parents et, comme chaque jour, monte du bourg au château. Le pont-levis est déjà baissé et Finette se rend rapidement chez le portier. Gui sourit en voyant apparaître la servante.

« Comment va mon rayon de soleil matinal ? » demande-t-il.

Finette, qui porte une robe de toile grossière d'une jolie couleur azur, fait une révérence qui accentue sa taille fine et sa longue silhouette.

« Bel ami, dit-elle de sa voix la plus douce, n'as-tu rien à me dire ce matin ?

— J'aurais peut-être quelque chose à te dire ; mais que me donneras-tu en échange ?

— Je mangerai dans la même écuelle que toi et nous boirons dans le même verre.

— Cela ne suffit pas.

— Je danserai avec toi après dîner. »

Gui paraît hésitant.

« Mais que veux-tu donc ? demande Finette avec impatience.

— Faire avec toi une promenade dans le bois. »

Finette prend un air grave.

« Ce que tu demandes est considérable.

— Tu me demandes bien de trahir mon maître, le sire Gascelin. »

Finette devine qu'il y a du nouveau au château.

« Comment pourrais-tu trahir ton seigneur ? demande-t-elle ingénument.

— Heu... heu... »

Gui regarde le visage mutin et le nez en trompette de la servante et insiste :

« Tu me promets une promenade dans le bois ?

— Je te promets. »

Le portier s'approche et chuchote :

« Le sire Gascelin est revenu cette nuit avec sa sœur Éléonore. Et il l'a enfermée dans la prison.

— Et toi, tu l'as laissé agir ? Misérable ! lâche ! infâme !

— Mais que pouvais-je faire ? s'exclame Gui abasourdi par ce déluge d'insultes.

— Te rebeller et défier le comte avec hardiesse.

— Tu perds la raison. Je ne suis qu'un pauvre portier qui n'aurait gagné que deux yeux crevés et deux pieds coupés. »

Finette hausse les épaules avec mépris et repart en courant.

*

Finette a un plan. Un plan certes très désagréable à réaliser, mais il y va de la vie de sa maîtresse. Par chance, cette nuit-là est sans lune, sans étoiles et de gros nuages noirs courent dans le ciel. Le vent siffle bruyamment et Finette peut entendre la bannière qui claque en haut du donjon.

« Avec tout ce fracas, personne ne m'entendra », se dit-elle.

Puis elle regarde à ses pieds le fossé rempli d'une eau malodorante et fait une grimace.

« Faut-il que je vous aime, ma belle maîtresse, pour me lancer dans une entreprise aussi déplaisante », pense-t-elle.

Puis, l'air résolu, elle enlève ses vêtements, ne garde que sa chemise, et plonge dans le fossé. L'eau est froide, gluante et fétide. En quelques brasses Finette se retrouve de l'autre côté des douves. Là, elle tâtonne le long du donjon en cherchant une

157

anfractuosité. Enfin elle rencontre un orifice large de trois pieds.

« J'y suis, songe-t-elle. C'est le trou des latrines. »

S'armant de courage, Finette retient sa respiration, plonge dans l'eau croupie et se glisse dans le trou. Quoique le conduit soit fort glissant, Finette se faufile avec dextérité. Enfin elle sort la tête hors de l'eau et respire à nouveau. Mais l'odeur des excréments collés à la paroi est nauséabonde et lui donne envie de vomir. Luttant contre le dégoût, elle recommence à grimper le long du mur fétide.

Elle débouche dans les latrines. Sans perdre de temps elle entre dans la salle où les gardes ronflent à poings fermés. Une chandelle presque consumée jette ses dernières flammes. Finette s'en empare, saisit la grosse clef accrochée au mur, descend à pas de loup l'escalier en colimaçon et ouvre la porte de la prison.

Au bruit de la serrure qui grince, Éléonore sort de sa somnolence. Lorsqu'elle aperçoit, dans la clarté mouvante d'une flamme, une silhouette repoussante surmontée de cheveux crasseux et dégoulinants, elle murmure terrifiée :

« Le Diable ! »

Et pour chasser le prince des Enfers elle fait plusieurs signes de croix. Mais ce geste pieux s'avère totalement inefficace. Non seulement le Diable ne disparaît pas, mais il avance et chuchote :

« Ne craignez rien, je suis Finette. »

Éléonore ouvre des yeux effrayés et déclare :

« Parle plus fort, que je reconnaisse ta voix. »

Mais Finette persiste à chuchoter :

« Ma chère maîtresse, ne soyez point sotte. Si je parle fort, je vais réveiller les gardes. Suivez-moi et soyez hardie : le chemin des latrines est fort infect. »

Et aussitôt la servante s'engage dans l'escalier. Éléonore frémit, dans une grande confusion d'esprit. Puis, voyant la lumière de la chandelle s'éloigner dans l'escalier et la détermination de sa servante, elle s'avance à son tour.

*

Dans la pauvre maison de Finette, assises sur le matelas de paille du large lit, la maîtresse et la servante discutent à voix basse.

Des coups à la porte d'entrée font sursauter les deux jeunes filles.

« On vient me chercher », murmure Éléonore.

Dans la pièce commune, à côté de la chambre, un homme dit d'une voix grave :

« Tu es bien Bertrand le Boiteux ? Je viens chercher la redevance que tu dois au seigneur.

— C'est le prévôt, dit Finette à voix basse. Laisse faire mon père.

— Tu es venu inutilement car je ne dois plus rien

au seigneur, répond le père. Je viens de passer une semaine à faucher l'herbe de ses prés.

— C'est juste, Bertrand, tu as fait la corvée[1]. Mais tu dois encore une redevance : le fumier d'une vache.

— Je ne le donnerai pas. C'est contre la coutume. Ce fumier doit servir d'engrais pour mon jardin.

— Si tu ne le donnes pas de ton plein gré, je te le prendrai de force.

— Je t'en empêcherai, hurle Bertrand. Jamais notre ancien comte ne nous réclamait cela.

— Autre seigneur, autre redevance, prononce le prévôt d'un ton sentencieux.

— Dis à notre nouveau sire Gascelin qu'il doit d'abord respecter la coutume. Sinon... Sinon, reprend Bertrand d'une voix sourde, nous brûlerons ses récoltes et nous ne payerons plus les taxes.

— Je répéterai tes paroles au château », réplique le prévôt en sortant dans la ruelle.

Bertrand le Boiteux le poursuit de son poing levé.

« Répète-lui aussi, au seigneur, que nous avons des pioches, des faux, des haches et qu'il se méfie de la révolte des paysans. »

Le père rentre en maugréant et pénètre dans la chambre.

« Ma fille, ajoute Bertrand le Boiteux, et avec

---

1. La corvée est un travail gratuit que les serfs doivent à leur seigneur (pour cultiver ses champs, consolider ses remparts...).

votre respect, ma demoiselle, le Ciel nous a envoyé, avec votre jeune frère, un méchant seigneur. »

C'est alors que parvient la voix d'un héraut qui crie dans la ruelle :

« Avis de notre sire le comte de Blois. Éléonore, sa plus jeune sœur, l'objet de sa tendresse, a disparu. Elle est reconnaissable à ses cheveux blonds qui descendent jusqu'aux reins, à ses larges yeux bleus et à sa rayonnante beauté. Il sera donné deux cents deniers à toute personne qui la ramènera. Par contre, toute personne lui donnant asile sera immédiatement pendue. »

Bertrand le Boiteux a l'air soucieux.

« Vous ne pouvez pas rester ici, ma demoiselle. Vous risquez d'être découverte. Le prévôt va certainement revenir.

— Mais que faire ? » demande Éléonore.

Un long silence se fait dans la pièce. Soudain Finette déclare :

« Maîtresse, nous irons nous cacher dans un couvent. »

Bertrand le Boiteux ne paraît pas convaincu.

« Il faudrait d'abord que vous quittiez les terres du comte de Blois.

— Où irai-je ?

— Sur les terres du roi de France. À Paris ou à Orléans. Là-bas aussi il y a des couvents.

— J'ai entendu dire, précise Éléonore, que main-

161

tenant le roi a sa Cour à Paris pour mieux surveiller les Normands[1]. »

Le visage buriné de Bertrand paraît préoccupé. Enfin le paysan déclare :

« J'irai ce soir au monastère des nonnes. La portière me connaît bien car c'est moi qui tue leurs cochons en décembre. Elle me trouvera deux vieilles robes de religieuses pour que vous ne soyez pas reconnues sur les routes. Vous partirez demain à l'aube. »

*

« Tu n'es qu'un incapable, s'écrie Rosamonde en fureur.

— Tes dures paroles m'offensent, répond Gascelin.

— C'est la désobéissance des gardes, qui ne te craignent ni ne t'obéissent, qui devrait t'offenser.

— Ils jurent par Notre Seigneur Jésus-Christ n'avoir rien vu ni entendu de toute la nuit. »

Rosamonde regarde son frère avec mépris.

« Voudrais-tu me faire croire que la disparition d'Éléonore est une diablerie ?

— Cesse de me tourmenter sans cesse ! » se plaint Gascelin.

---

1. Il s'agit des Anglais qui occupent le duché de Normandie.

La mine très menaçante, Rosamonde s'approche de lui.

« Tu dois infliger un châtiment exemplaire. »

Gascelin baisse la tête.

« Je suis las de ta férocité.

— Si tu ne fais pas pendre quelques gardes, tu seras la risée du comté. L'heure est venue de montrer à tous que tu es bien le sire du comté de Blois. »

Et Rosamonde quitte la pièce de son pas rapide et décidé.

Gascelin soupire. Sur son visage se lit un grand accablement. La cruauté lui répugne. Pourtant, sans cesse, sa sœur le pousse à des actions violentes. Et de sa sœur, il est désormais prisonnier. Cette fois-ci, encore, il va lui obéir. Mais ce sera la dernière fois, la dernière infamie qu'il commettra. Ensuite, il se le jure, il n'écoutera plus Rosamonde. Il deviendra un prince honorable et il appliquera avec mesure et sagesse les commandements de la Sainte Église.

Et, soulagé de remettre à plus tard ses décisions de vertu, il s'en va donner des ordres.

*

Le lendemain, avant l'aube claire et le soleil, Éléonore et Finette, vêtues d'une longue robe blanche, les cheveux cachés par un voile, quittent la maison du père Bertrand. Les étroites ruelles sont désertes. Seules les poules picorent ici et là parmi les détritus et les coqs poussent vers le ciel pâlissant leur triomphal chant du matin. À la sortie du bourg, les corps de quatre gardes pendent au gibet. Derrière, sur les champs et les prés s'étendent de grandes nappes de brume qui cachent l'horizon.

Éléonore et Finette sont bientôt enveloppées par le brouillard. Soudain, elles entendent le claquement répété et monotone des crécelles de bois.

« Des lépreux, murmure Finette. Ils ne doivent pas être loin. »

Éléonore frémit.

« Je ne veux pas qu'ils m'approchent. Mieux vaut revenir sur nos pas.

— N'y songez pas, ma demoiselle. Ce serait folie que de retourner à Blois. Vous y risquez votre vie. »

Les deux jeunes filles hésitent à avancer ou reculer, lorsque le brouillard se déchire et découvre, à quelques pas sur la route, une dizaine de lépreux clopinant sur leurs béquilles. Éléonore pousse un cri en voyant, à travers leurs guenilles, leur peau blanchâtre et rongée. Les lépreux ricanent et lèvent leurs béquilles d'un air menaçant. Finette s'avance.

« Laissez-nous passer », dit-elle d'un ton autoritaire.

Mais le sinistre cortège ne bouge pas. Certains tendent leurs mains à moitié rongées en réclamant :

« Une aumône... une aumône pour les abandonnés de Dieu.

— Nous sommes des religieuses qui nous rendons au couvent à Paris et nous n'avons pas d'argent. »

Les lépreux se rapprochent et entourent les deux jeunes filles d'un air inquiétant et insistant.

« Une aumône, une aumône, mes sœurs. »

Éléonore est glacée d'effroi.

« Je ne veux pas qu'ils me touchent. Je veux qu'ils s'en aillent. Si je leur donne ma bague, crois-tu qu'ils partiront ? »

Finette n'a pas le temps de répondre. Déjà Éléonore enlève de sa main droite sa belle émeraude qu'elle jette sur le sol. Les lépreux se précipitent, se poussent, se renversent en poussant des cris. L'un ramasse le bijou qu'il exhibe devant les autres. Les hommes s'esclaffent, puis discutent longtemps.

Enfin l'un d'entre eux quitte le groupe et s'avance vers les deux jeunes filles.

« Des nonnes ne portent pas une si riche bague. »

L'homme regarde Éléonore dans les yeux. Elle se trouble.

« Ne serait-ce pas toi, la sœur du comte de Blois ? »

Un autre lépreux se rapproche, tend le bras vers Éléonore et dit :

« C'est celle qu'on recherche pour deux cents deniers. Ce vêtement est un déguisement.

— Tu crois ? demande le premier lépreux.

— Oui. Elle resplendit comme la lumière du soleil.

— Il suffit de dégager ses cheveux, ajoute un autre. Nous verrons bien s'ils lui descendent jusqu'aux reins.

— Ne me touchez pas », hurle Éléonore.

Riant de leurs bouches édentées, dans le cliquetis des crécelles, les hommes tendent leurs bras difformes et tirent sur le voile. Lorsque les tresses apparaissent, dorées et longues jusqu'aux reins, les lépreux se taisent d'admiration. Puis, lentement, ils touchent de leurs moignons la brillante chevelure.

« Nous aurons deux cents deniers, dit l'un d'eux.

— Je vais la ramener au château, renchérit un autre.

— Non, nous y allons tous ensemble, sinon tu prendras l'argent pour toi tout seul. »

Finette s'empare alors d'une béquille et menace le groupe de lépreux qui reculent.

« N'approchez pas, ou je vous fais voler la cervelle. »

Les lépreux, devant l'attitude déterminée de Finette, hésitent sur la conduite à suivre. C'est alors qu'apparaît, au détour du chemin, un riche marchand vêtu d'un beau manteau de toile de Reims et monté sur un cheval brun. Derrière lui, suivent huit mules lourdement chargées de ballots soigneusement ficelés. Trois hommes armés accompagnent le convoi et brandissent leurs lances. En les voyant, les lépreux s'enfuient dans un grand bruit de claquettes vers la maladrerie[1]. Le marchand s'approche des deux religieuses.

« Je suis maître Guillaume, marchand réputé pour les tissus de soie et de brocart que je fais venir de Constantinople. Je me rends à Paris. Voulez-vous cheminer en ma compagnie ?

— Nous sommes recherchées dans ce comté, dit Éléonore, et nous voulons rejoindre les terres du roi des Francs.

— Ne craignez rien. Avec moi vous êtes en sûreté. Nous irons d'abord à Chartres. »

Après le départ du convoi, un lépreux, qui s'était caché dans le fossé, se redresse et part clopinant et criant :

« La belle est partie pour Chartres. »

*

Immense est la plaine qui s'étend autour de Chartres. Quoiqu'il soit encore tôt, la chaleur d'août est déjà accablante. Dans les champs de blé parsemés de coquelicots, grouille et bourdonne tout un peuple d'insectes.

Pressé de retrouver la demoiselle de son cœur, Thibaut fait trotter son cheval. Eustache, peu habi-

---

1. Maison des lépreux.

tué à chevaucher, le suit avec beaucoup de difficultés.

« Pourquoi vas-tu grand train comme si le Diable
te poursuivait ? demande l'étudiant.

— Je suis impatient de retrouver Éléonore.

— La vérité, grommelle Eustache qui se maintient à grand-peine sur sa monture, la vérité est
que... je n'ai jamais vu Éléonore. »

Thibaut s'arrête, éberlué.

« Tu m'as dit qu'elle était rayonnante...

— J'ai dit... ce qui te faisait plaisir car je ne voulais pas voyager seul. »

Thibaut reste stupéfait.

« Je ne t'ai fait nul tort, explique Eustache.

— Tu me plonges dans un profond désespoir. »

Eustache fait un grand geste de la main.

« Tu exagères, j'applique seulement la dialectique.

— La dialectique, est-ce une manière de tromper
les gens ?

— Non, c'est l'art de raisonner, l'art de bien
apprendre, la discipline des disciplines. »

Comme Thibaut reste muré dans un sombre chagrin, Eustache, avec flamme, explique ce qu'est la
discipline des disciplines :

« Par exemple, si je ne veux pas voyager seul, je
dois trouver les moyens d'être en bonne compagnie.
Alors si la compagnie est intéressée par le sort

d'Éléonore, je dois l'être également. Donc, pour ne pas aller seul à Chartres, je dois avoir vu Éléonore. Telle fin entraîne tel moyen. Une autre fin entraînerait un autre moyen.

— Je ne comprends rien à ce que tu racontes. Dis-moi où se trouve Éléonore ? interroge Thibaut complètement désorienté par ces révélations.

— Comment le saurais-je puisque je ne l'ai jamais vue. N'as-tu pas écouté mes arguments ? »

Thibaut sent la colère envahir son cœur.

« Tu es un fourbe, félon, traître, un infâme qui n'a pas de parole.

— Oh ! la parole, répond Eustache d'un air négligent, c'est là affaire de gentilhomme. Moi, je suis étudiant. »

Thibaut se sent dans l'âme une infinie tristesse.

*

À l'heure des vêpres, les chevaliers arrivent à Chartres que domine le chantier d'une cathédrale. Autour des maisons, bien closes de palissades, des petits vergers ou des arpents de vigne sont soigneusement cultivés. Dans les ruelles, après les heures chaudes de l'après-midi, le travail a repris, et l'air résonne des martèlements des forgerons, des coups des tailleurs de pierre, des scies des menuisiers. Sur une étroite place, près de la cathédrale, un tavernier, large et fort, dans l'embrasure de sa boutique, interpelle les cavaliers :

« Entrez, entrez, messires, venez vous délasser du voyage. J'ai du bon vin de Laon, de la bonne cervoise. »

Les compagnons se regardent.

« Ce n'est pas la soif qui nous manque, constate Barnabé, c'est l'argent. »

Torticolis, penchant sa tête gracieusement, regarde les yeux du tavernier et dit :

« Il a l'âme poétique. »

Et il s'approche de l'homme.

« Nous n'avons pas de quoi te payer. Mais je peux chanter pour tes clients et faire des cabrioles, si tu nous laisses nous désaltérer.

— Volontiers, répond le tavernier. Cela nous donnera joie et divertissement. »

La taverne est sombre et remplie d'hommes assis sur les joncs qui recouvrent la terre battue. Dans les coins les plus obscurs, des chandelles sont allumées. Une forte odeur de bière et de poisson emplit la salle. Un chien efflanqué erre entre les convives.

Les compagnons s'installent sur les joncs tandis que Torticolis, assis sur une botte de paille, commence à chanter. L'assistance fait silence pour l'écouter, puis l'applaudit vigoureusement. Réjoui, le tavernier sert du vin. Barnabé boit une gorgée qu'il recrache aussitôt.

« C'est infect. Ton breuvage donne la nausée. Ce n'est certainement pas du vin de l'année. »

Le tavernier a un petit sourire contrit.

« Tu es un fin connaisseur et je ne veux pas te tromper davantage. Ce vin a déjà trois ans et est trop vieux pour être bu. Je vais t'apporter du vin de cette année.

— Ces taverniers sont tous des voleurs, grommelle Eustache.

— Tu critiques toujours tout le monde », reproche Thibaut.

Eustache sourit malicieusement.

« C'est que j'étudie les mœurs et les coutumes. J'ai appris que le paysan est un rustre grossier et ignare, le moine un paresseux gourmand, que le noble pille avec brutalité, quant à l'évêque, il ressemble à un veau qui mange son herbe sur le dos de ses paroissiens.

— Tu dis vrai, ajoute Barnabé. Cette dîme que le curé nous extorque, c'est pour payer le luxe des chanoines et les bons repas de tous les hommes en soutane.

— Ne dis pas de mal de l'Église, ordonne Thibaut à Barnabé.

— Eustache en dit bien, s'indigne l'écuyer.

— Eustache apprend un art de raisonner pour tromper les honnêtes gens. »

Thibaut jette un regard lourd de reproche à l'étudiant. Celui-ci s'exclame :

« Chevalier, ne songe plus à Éléonore. Joue plutôt aux dés, cela te changera les idées. »

Les quatre garçons se regardent en silence, songeant tous à Éléonore.

« Peux-tu me prêter quatre deniers ? demande Thibaut. Je te les rendrai. »

Le tavernier dévisage le garçon de la tête aux pieds.

« Je vois à tes éperons que tu es chevalier et donc digne de foi. Prends ces pièces et que le sort te favorise. »

La nuit descend. Le tavernier allume quelques chandelles. Eustache s'installe sur les joncs pour bavarder avec deux étudiants de passage. Torticolis chante en s'accompagnant de sa vielle. Thibaut s'assied parmi un groupe d'hommes qui jouent aux dés sur un plateau de bois. Sous l'œil inquiet de Barnabé, il mise les quatre deniers d'un seul coup et gagne. Aussitôt il rejoue toute sa mise. La chance lui sourit dix fois de suite. Bientôt il possède cinquante deniers en poche.

« Tavernier, s'écrie le chevalier en lançant ses deniers, j'offre à tous des harengs salés et beaucoup de vin. Que tous rient et chantent autour de moi, pour que je noie ma tristesse d'avoir perdu Éléonore. »

Barnabé s'approche et lui murmure à l'oreille :

« Ne pourriez-vous pas garder, par prévoyance, quelques deniers ? »

Mais Thibaut lui répond d'un geste agacé :

« Barnabé, tu as l'âme vile d'un bourgeois. »

*

Le lendemain matin, le chant du coq réveille Thibaut. Autour de lui, dans la taverne, allongés sur les joncs, ronflent les compagnons de la veille qui se sont endormis à moitié ivres. Thibaut s'apprête à se rendormir lorsqu'il entend l'appel d'un héraut :

« Venez faire pénitence ! Venez reconstruire l'église de Dieu ! Que tous les hommes jeunes et vaillants de la ville se réunissent devant le chantier de la cathédrale. »

Thibaut bondit sur ses pieds.

« Debout, tous !

— Qu'est-ce qui se passe ? demande Barnabé dans un long bâillement.

— Lève-toi pour aller faire pénitence.

— En avons-nous vraiment besoin ? demande Eustache en enlevant les joncs de ses cheveux.

— Certainement, affirme Thibaut. Toi, Eustache, pour avoir menti et trompé ton prochain. Moi, pour avoir été crédule et insouciant. Barnabé pour aimer l'argent, Torticolis pour être paresseux, et nous tous pour n'avoir pas assez prié Notre Seigneur Jésus-Christ. »

*

Dans une carrière, non loin de la ville, des hommes achèvent de remplir une charrette de pierres destinées à la cathédrale. Puis on y attache des cordes et les pénitents commencent à tirer le chariot. Le véhicule est très lourd et avance très lentement, malgré la mélodie entraînante des jongleurs. Thibaut et Barnabé tirent énergiquement. Eustache, qui ne veut pas abîmer sur la corde rugueuse ses doigts délicats habitués à tenir la plume, se contente de faire des commentaires :

« Je trouve cette pénitence excessive. Je ne suis pas certain que mes péchés pèsent un tel poids.

— Tire, au lieu de bavarder », déclare Thibaut.

Le chariot arrive enfin sur la place de la cathédrale. Un chanoine distribue alors une branche d'arbre à la moitié des pénitents et conseille :

« Flagellez-vous les uns les autres en confessant vos péchés.

— Venez, Eustache et Barnabé », dit Thibaut.

Et levant sa branche d'arbre il leur donne de grands coups.

« Que ces branches chassent de vous le péché et la tentation du Malin. Que vous soyez ainsi purifiés et dignes de vous présenter devant le Dieu tout-puissant. »

Thibaut frappe énergiquement. Pendant que Torticolis chante avec les jongleurs pour rythmer la flagellation, Eustache cache son visage dans ses bras. Barnabé, en grande détresse, jette un regard d'envie sur un marchand habillé de belle toile de Reims, qui s'avance suivi par des compagnons et deux religieuses.

« Quelle heureuse vie que celle de marchand ! » songe-t-il, entre deux cris de douleur.

*

« Je vais à Paris, pour écouter l'enseignement de Pierre Abélard, le plus grand dialecticien de son temps. Je pars avec deux étudiants que j'ai rencontrés à la taverne, annonce Eustache à Thibaut. Et toi, que fais-tu ?

— Je vais à la recherche d'Éléonore.

— Où la chercherez-vous ? demande Barnabé.

— Je n'en sais rien. Le monde me paraît si vaste, que je ne sais de quel côté me tourner.

— C'est que tu n'exerces pas ta raison », explique Eustache sentencieusement.

Thibaut l'interroge du regard. Eustache s'explique :

« Éléonore a disparu. Conséquence : soit elle s'est évadée de son plein gré, soit elle a été enlevée.

— Elle ne m'a pas quitté de son plein gré, dit Thibaut.

— Donc elle a été enlevée. Conséquence : qui l'a enlevée ?

— Des brigands ? suggère Barnabé.

— Les brigands enlèvent des personnes pour en tirer une rançon, explique Eustache. Or, aucune rançon ne vous a été demandée. Conséquence : qui a intérêt à enlever Éléonore ? »

Thibaut s'empresse de répondre :

« Gascelin, pour la donner en mariage à Foulque, conformément à la parole qu'il lui a donnée.

— Conséquence : Éléonore est soit au château de Blois, soit au château de Foulque. Tu vois qu'en exerçant bien ta raison, tu résous les problèmes les plus difficiles.

— Éléonore ne peut être nulle part ailleurs ? demande Torticolis, méfiant.

— Nulle part. Telle est la force du raisonnement. »

8

Sur la piste d'Éléonore

« C'est elle.

— Tu crois ?

— Oui, je suis certain que c'est Rosamonde, la sœur aînée du comte. Je l'ai vue partir à cheval à l'aube claire. »

Un autre lépreux brandit sa béquille.

« Dépêchons-nous. Arrêtons-la. »

Sortant de la maladrerie, les lépreux courent en clopinant vers la route aux pavés disjoints. Ils se mettent en ligne pour stopper la cavalière et agitent frénétiquement leurs claquettes. Rosamonde tire le mors de son cheval qui se cabre en hennissant.

« Que faites-vous là ? Laissez-moi passer ! »
ordonne-t-elle.

Les claquettes s'agitent de plus belle, tandis qu'un
des lépreux s'approche de la jeune fille qui le toise
avec hauteur.

« Nous savons où se trouve Éléonore, déclare le
lépreux. Elle se trouve à Chartres avec un marchand. Elle est déguisée en religieuse, comme la
jeune fille qui l'accompagne. »

Rosamonde a un rire méprisant.

« À Chartres ! Avec un marchand ! Vous divaguez ! Sachez que je ne fais aucun cas de vos sornettes. Maintenant, laissez-moi passer. »

Rosamonde tente de contourner les lépreux, mais
ceux-ci l'entourent, la mine menaçante.

« Tu nous dois deux cents deniers, dit l'un,
puisque nous t'avons appris où se trouve ta sœur.
Sinon, nous t'emmenons de force avec nous à la
maladrerie. »

Rosamonde ne se laisse pas intimider.

« Je vous donnerai deux cents deniers, si vous me
donnez une preuve de votre loyauté. »

Alors un lépreux s'avance et, entre les doigts ron-
gés de sa main, exhibe la bague d'Éléonore.

« Voilà ce qu'elle nous a jeté pour que nous la lais-
sions tranquille. Puis le marchand est arrivé et nous
a menacés. »

Rosamonde s'empare de la bague.

« C'est bien la bague de ma sœur. Je vous ferai porter l'argent. Vous avez ma parole. Maintenant laissez-moi. »

Les lépreux s'écartent et Rosamonde fouette son cheval.

*

Foulque arpente à pas rapides et énervés la grande salle du château de Blois.

« Par deux fois tu m'as promis Éléonore comme épouse. Et au lieu de nous marier, tu me racontes des boniments : un jour elle est malade, un autre elle a disparu. Tu te conduis envers moi avec félonie. »

Assis dans son fauteuil de bois, Gascelin paraît accablé. Son visage s'est creusé et ses yeux ne cessent de s'agiter de manière angoissée.

« Tes paroles m'offensent et tu t'emportes contre moi à la légère. Avec toi je n'ai jamais été ni mauvais ni faux », dit-il.

Foulque le dévisage d'un air soupçonneux.

« Assez discuté comme cela. Maintenant je te dis : tu me donnes Éléonore en mariage, sinon je dévaste tes terres et j'incendie toutes les maisons du comté. »

Une voix autoritaire fait sursauter les deux jeunes gens :

« Il est inutile de te conduire sans foi ni loi. Éléonore se trouve à Chartres, déclare Rosamonde.

181

« — Comment le sais-tu ? demande Gascelin.

— Des lépreux l'ont rencontrée sur la route. Voici sa bague. »

Foulque rayonne de joie.

« Par Dieu, nous allons guerroyer sur les terres de l'évêque et assiégerons la ville. »

Gascelin paraît indécis.

« Tu hésites, s'étonne Foulque. Aurais-tu peur de livrer bataille ? »

Rosamonde regarde son frère avec mépris.

« Tu es mou comme du beurre. »

Gascelin, blessé, baisse la tête. Rosamonde s'adresse à Foulque :

« N'aie aucun souci. Je te fais entière promesse que nous livrerons bataille avec toi pour retrouver ma sœur et te la donner en mariage. »

*

Dans la ville de Chartres la panique grandit. Des alentours viennent se réfugier les paysans et les marchands qui ne parlent que de terres ravagées, de récoltes incendiées, de basses-cours pillées. Ils racontent que Foulque de Montcornet et Gascelin de Blois, avec une rage pareille à celle de loups cruels, dévastent terres et maisons.

Le plus grand chaos règne dans la ville. Dans les rues étroites, s'abritent les gens et le bétail. Les pleurs des enfants se mêlent aux cris des animaux dans un étrange vacarme. À l'intérieur des églises, les hommes abritent les sacs de farine, les réserves de sel et de miel, les poissons séchés et les jambons.

Malgré l'air étouffant de midi, Torticolis court à la taverne retrouver son maître. Il annonce tout essoufflé :

« La ville est cernée par les hommes de Blois et de Montcornet.

— Les mécréants ! Ils cherchent à s'emparer du trésor de l'évêque ! déclare Thibaut.

— C'est possible. Mais auparavant ils demandent qu'on leur livre Éléonore.

— Éléonore ! répète Thibaut abasourdi. Mais je la croyais à Blois ou à Montcornet.

— L'étudiant et sa dialectique se sont trompés. Car j'ai appris, en discutant à l'auberge, qu'une demoiselle très belle, déguisée en religieuse, avec une servante au nez en trompette, suivait le convoi d'un marchand de soierie.

— Je les ai vus passer, s'exclame Barnabé, pendant que vous me flagelliez avec grande conviction. Ils prenaient la route de Paris.

— Et tu ne m'as rien dit ? s'indigne Thibaut.

— D'abord vous me battiez cruellement. Ensuite j'ai surtout regardé le marchand, si bien habillé, si fier sur son cheval, sans m'intéresser aux religieuses.

— Alors nous partons pour Paris », conclut Thibaut.

Barnabé et Torticolis se jettent des regards consternés.

« Nous allons encore courir après Éléonore ! » murmure Barnabé d'un air bougon.

Thibaut, qui a entendu les propos désobligeants de son écuyer, précise :

« Nous irons à Paris non seulement pour retrouver Éléonore, mais aussi pour aider l'évêque de Chartres.

— Comment ? demande Torticolis.

— En demandant l'aide du roi. »

Barnabé, décidément de mauvaise humeur, grommelle :

« La belle affaire ! Cela fera simplement un seigneur de plus en guerre !

— Comment oses-tu parler de la sorte ? s'indigne Thibaut. Le roi n'est pas un seigneur comme les autres. Il a été sacré comme un prêtre, avec le saint chrême.

— Et alors ? demande insolemment Barnabé.

— Alors il perçoit l'ordre qui règne dans le Ciel et celui qui doit régner sur la Terre. Lui seul peut instaurer la paix de Dieu. »

L'écuyer soupire :

« Par quel enchantement pensez-vous sortir de cette ville assiégée ?

— J'ai une idée », annonce Torticolis.

Le lendemain quand sonne prime, Torticolis marche d'un pas vif vers la taverne. Le jongleur tient à la main un petit sac de farine, un pot de peinture rouge, et une cruche pleine du sang d'une poule.

« J'ai tout ce qu'il faut, crie-t-il joyeusement à Barnabé.

— Moi aussi », dit l'écuyer en montrant une béquille, des morceaux de couverture râpée, et une vieille boîte remplie de ficelle, de claquettes, et d'objets variés.

Bientôt apparaît Thibaut.

« J'ai la lettre de l'évêque et il m'a donné de l'argent. Maintenant dépêchons-nous. »

Les objets sont déposés dans la rue et Torticolis se met à l'ouvrage. Une vache errante, qui cherche vainement l'herbe du pâturage, vient regarder en mugissant le travail du jongleur.

*

Les cloches des églises sonnent tierce, quand, le nez en l'air, riant aux éclats, les soldats du comte de Blois et du châtelain de Montcornet regardent les malades que les habitants de Chartres rejettent de leur bonne ville. Ils sont trois, pendus au bout de cordes, qui glissent maladroitement le long des remparts. Ils sont affreux à voir, la peau rongée, couverte de plaies et de croûtes, à peine vêtus de vieilles couvertures crasseuses. L'un est manchot, l'autre tient une béquille de lépreux, et le troisième a la tête de côté et une vielle autour du cou. Le lépreux agite frénétiquement sa claquette.

« Ne les approchez pas, ils sont contagieux, crie Ernaud le Fier.

— Dommage qu'on les chasse, dit un autre. Ils auraient donné la lèpre à tous les habitants de Chartres. »

Les trois infirmes touchent maintenant terre. Ils ont des pieds nus, couleur de boue. Le lépreux boite. Ses cheveux bouclés, encore longs, sont tout collants et graisseux. Il agite ses claquettes en roulant des yeux effarés. Le manchot, le nez écrasé, une besace sur l'épaule, brandit un bâton d'un air furieux. Les assiégeants se moquent d'eux.

« Alors, l'évêque vous a chassés, sans aucune pitié pour la misère du monde, s'écrie un homme.

— Filez rapidement, dit un autre. Vous êtes contagieux. »

Et, moitié par plaisanterie, moitié par dégoût, il jette un caillou sur le manchot. Les trois infirmes se mettent à courir avec gaucherie. Alors, tout en riant, chacun commence à leur jeter des cailloux pour les faire détaler au plus vite. Ils courent d'une manière si maladroite, si ridicule, si pitoyable, que tous s'esclaffent du spectacle.

Longtemps après la disparition des trois infirmes, les hommes continuent à rire et plaisanter sur cette joyeuse diversion. Rosamonde sort de sa tente, s'étonnant de la bonne humeur de tous.

« Pourquoi cette gaieté », demande-t-elle.

Lorsqu'on lui décrit les trois éclopés, l'un à la tête penchée, l'autre le nez écrasé et le troisième aux longs cheveux sales et bouclés, ses yeux jettent des éclairs.

« Imbécile, lance-t-elle à Gascelin. C'était Thibaut, son jongleur et son écuyer. Où sont-ils partis ? »

Sautant sur son cheval, elle galope à travers les champs dévastés par les soldats et atteint un village brûlé et désert. Là erre une vieille femme qui cherche parmi les décombres quelque chose à manger.

« As-tu vu trois infirmes passer par ici ? » lui demande Rosamonde.

La vieille femme se met à hoqueter d'allégresse.

« Qu'as-tu ? » demande la jeune fille avec colère.

La vieille femme parle d'une voix basse entrecoupée de bruits rauques :

« Vos infirmes, c'étaient trois beaux gars, des beaux gars bien forts, solides et bien vaillants, quand ils sont ressortis tout propres de la rivière. Pas plus malades que vous, ma belle demoiselle. Ah, ah, ah…

— Où sont-ils partis ? » demande Rosamonde, imperturbable.

La vieille femme hoquette de plus belle et indique du menton la direction de Paris. Le visage de Rosamonde se fige avec une vilaine grimace. Non, elle ne supportera pas que Thibaut et Éléonore lui échappent et soient heureux, là-bas, à Paris. À son tour elle abusera Thibaut, avec les mêmes ruses qu'il a employées pour la tromper, et sa vengeance sera éclatante.

*

Le soleil est haut dans le ciel, l'air étouffant et bruissant d'insectes. Thibaut s'amuse à regarder les vaches qui, pour éviter le soleil, se serrent à l'ombre des pommiers, puis il s'exclame joyeusement :

« Je vois Paris au bout des prés ! »

En effet, derrière les champs de blé ou de légumes, se profilent les remparts de la cité. Les trois garçons pressent l'allure.

Paris est une île entre deux bras de Seine. Au-dessus du bras le plus large, s'élève le Grand Pont qui relie l'île de la Cité à un port entouré de marais. Le pont est surmonté de maisons. En dessous, dans la première arche, se tient un moulin. Sous les autres passent les bateaux, tandis que les pêcheurs, regroupés autour des piliers, attendent patiemment les poissons.

Les trois compagnons franchissent le marais en passant sur d'instables passerelles de bois, puis traversent la Seine. Ils ont vite fait le tour de Paris. Torticolis préfère l'est de l'île qui appartient au clergé. Il aime les belles sculptures des neuf églises et de la cathédrale. Thibaut préfère l'ouest qui appartient au roi, dont le fort château est construit de pierres bien taillées. Barnabé préfère le centre. Il aime les rues étroites et sombres où les maisons en encorbellement laissent apercevoir d'étroits rectangles de ciel bleu. Il s'amuse de voir dans les ruelles les chevaux éviter soigneusement la rigole centrale pour ne pas se fouler une patte. Par-dessus tout, il s'enchante des boutiques, des gens qui vont et viennent, discutent, achètent, troquent, vendent. Dans la rue centrale de la Juiverie, lorsque tous trois se retrouvent une deuxième fois en face de la synagogue, Thibaut déclare :

« Maintenant que nous avons fait le tour de la ville, je vais me rendre chez le roi pour lui porter la lettre de l'évêque de Chartres. Vous, vous cherchez Éléonore. Nous nous retrouverons devant la cathédrale Notre-Dame[1], après dîner. »

Thibaut s'éloigne vers le palais. Barnabé soupire :

« Comment allons-nous découvrir Éléonore dans une ville aussi peuplée ?

— Il faut laisser faire la providence. Je vais d'abord chercher des jongleurs pour apprendre les

_____

1. Il s'agit d'un édifice antérieur à l'actuelle Notre-Dame dont la construction fut entreprise en 1163.

chansons de ce pays. Puis j'irai nager dans le petit bras du fleuve où il n'y a pas de bateaux. Ensuite, j'aviserai.

— Moi, dit Barnabé, je veux discuter avec des marchands. »

*

Dans la cité, au pied des remparts qui entourent le château du roi, Barnabé tombe sur des terrains vagues occupés par les tréteaux de quelques marchands. Des enfants jouent dans l'eau en poussant des cris. Barnabé, en chemise, se baigne à son tour pour enlever la poussière du voyage, se sèche au grand soleil et se renseigne auprès d'un homme.

« Est-ce ici la plus grande foire de Paris ? » demande-t-il.

L'homme sourit.

« Ici, c'est juste un petit marché. Mais si cela t'intéresse, il y a en ce moment la foire annuelle de Saint-Germain-des-Prés. C'est non loin de Paris, de l'autre côté du fleuve. Tu y seras en peu de temps. »

Barnabé remercie, traverse le Petit Pont et se retrouve au milieu de vignes et de champs. Sur la route, les chariots font crisser leurs roues. Des mulets lourdement chargés côtoient des riches litières et des marchands à cheval.

Barnabé est content. Il aime cette animation, les saluts joyeux que se font cochers et commerçants, habitués à se rencontrer dans les foires. Il écoute la jolie musique que produisent les différentes langues : certaines sont chantantes et allègres, d'autres rudes et sonores.

Progressivement les vignes et les champs laissent place à des maisons entourées de jardins bien clos et cultivés. Enfin, devant une belle et forte église, s'étend un immense marché.

« Si mon père et ma mère voyaient cela », songe Barnabé, ébloui.

C'est que, de sa vie, il n'a imaginé tant d'objets rassemblés au milieu de tant de gens aux costumes divers. Il y a des rues entières qui vendent des outils, faux, faucilles, haches, cognées ; d'autres qui vendent de la toile, d'autres de la soie, d'autres des fourrures, d'autres des parchemins pour les écoliers, sans compter les cordonniers, savetiers et tanneurs. Barnabé est grisé par toute cette richesse, tout ce tumulte, toute cette agitation autour de lui. Il a envie de tout acheter. Mais avec quoi ? Faute de pouvoir acheter, il passe devant tous les tréteaux, touche, pèse, examine tous les objets, surveille les acheteurs avec des yeux gourmands et ne remarque pas un homme brun, mince, qui le suit avec attention.

Fatigué par la chaleur et le bruit, Barnabé entre dans l'église Saint-Germain-des-Prés. L'air y est plus frais, mais l'animation est tout aussi grande. À gauche se tient une réunion de marchands qui discutent de la taxe sur les bateaux empruntant la Seine. Sur la droite, des enfants font rouler une balle sur un banc. Deux chiens aboient, un groupe de femmes bavardent à voix basse, quelques hommes disséminés sur les bancs mangent tranquillement leur hareng fumé et leurs galettes de froment. Un cavalier fait grand bruit en entrant avec son cheval, cherche quelqu'un des yeux et s'en retourne. Intimidé, Barnabé se met au premier rang, devant l'autel. Sans savoir pourquoi, il éprouve une grande envie de pleurer. Il se sent misérable au milieu de toute cette richesse, inconnu au milieu de toute cette foule. Passera-t-il toute sa vie à courir les chemins avec un chevalier qui rêve d'honneur et d'amour ? Barnabé pleure. De gros sanglots soulèvent sa large poitrine, lorsqu'un homme vient s'asseoir à côté de lui. Par fierté, Barnabé sèche ses larmes et regarde son voisin. C'est un homme brun, aux yeux noirs dans un visage émacié.

« Je t'ai suivi dans la foire, dit l'homme avec un fort accent étranger, et j'ai constaté que tu n'avais pas d'argent. »

Barnabé le regarde.

« Et tu aimerais en avoir », ajoute l'inconnu.

L'homme s'approche davantage et susurre :

« Si tu m'apportes des épées, je te les payerai un dinar d'or chacune. »

Et il sort de sa poche une pièce qu'il fait miroiter devant les yeux éblouis du jeune garçon.

« C'est une pièce en vrai or ?

— Oui, en vrai or. Il n'en existe pas dans le pays des Francs. Vous êtes trop pauvres. »

Barnabé lui jette un regard soupçonneux.

« Et tu me donnerais un dinar pour une épée ? »

L'homme hoche la tête. Barnabé reste cependant dubitatif.

« Et pourquoi me payerais-tu si cher une épée ?

— Parce que je la revendrai deux dinars ailleurs. »

Barnabé fronce les sourcils de concentration.

« C'est cela être marchand ?

— C'est cela », dit l'autre gravement.

Puis il se lève et ajoute :

« Réfléchis. Tu me trouveras tous les jours dans cette église après nones. »

*

Barnabé n'en revient pas. En retournant vers la cité, il ne cesse de s'émerveiller des circonstances. Tant d'argent pour épée ! Dire que pendant les tournois et les batailles son maître gagne des épées qu'il revend pour quelques deniers. Barnabé s'imagine les mains remplies de pièces d'or. Bientôt sa fortune serait faite. Il ne souffrira plus de la faim comme il l'a fait pendant toute son enfance. Quelle

belle ville que Paris ! Il s'y passe des événements
extraordinaires.

Arrivé près de la Bièvre qui coule au milieu de
marécages, il remarque sur sa droite une haute colline toute recouverte de vigne et parsemée, ici et là,
de maisons basses.

« Je vais monter là-haut pour voir Paris à mes
pieds », se dit-il.

Tout à ses projets de fortune, Barnabé ne s'intéresse pas aux étudiants qui parcourent la colline
Sainte-Geneviève, des parchemins sous le bras, discutant avec véhémence. Soudain, il entend :

« Barnabé ! Barnabé ! »

Dans un jardin, assis devant une table à l'ombre
d'un tilleul, Eustache, la plume à la main, lui fait de
larges signes d'amitié. Tous deux se retrouvent en
grande liesse.

« Que fais-tu à Paris ? demande Eustache.

— Fortune ! Je vais faire fortune !

— Et par quel enchantement le misérable paysan
devenu misérable écuyer se trouverait-il riche ? »

Barnabé s'empresse de lui raconter sa mer-
veilleuse aventure. Eustache sourit malicieusement
et conclut :

« Bref, le marchand espère profiter de ta sottise,
de ton ignorance et de ta cupidité. »

Barnabé prend l'air furieux.

« Pourquoi m'insultes-tu quand je te raconte ma bonne fortune ? Et pourquoi ce mépris ?

— Ce n'est pas du mépris, c'est de la dialectique. Premièrement, t'es-tu demandé qui était l'homme qui t'a parlé dans l'église Saint-Germain ? »

Barnabé hausse les épaules.

« Un homme comme les autres.

— Pas comme les autres. Il parle avec un accent. Conséquence : c'est un étranger. Il te propose des dinars d'or. Le dinar est une monnaie de l'Islam. Conséquence : l'étranger vient d'un pays musulman. Conclusion : ton homme est un mahométan.

— Et alors ? » s'énerve Barnabé.

Eustache garde tout son calme.

« Question : pourquoi un mahométan, pour acheter des épées, fait-il appel à un garçon inconnu, qui ouvre des yeux grands comme la pleine lune, sans sortir un sou de sa poche ? »

Eustache regarde fixement Barnabé, qui se dandine sur ses pieds, d'un air gêné.

« Je l'ignore.

— Parce qu'il ne peut pas en acheter autrement. Maintenant suis bien mon raisonnement. Première-ment : les mahométans cherchent à acheter les épées franques parce que ce sont les meilleures au monde. Deuxièmement : les mahométans sont les ennemis des chrétiens, ce sont des infidèles qui nous mas-sacrent allègrement en Terre sainte. Conséquence :

le pape interdit aux chrétiens de vendre des épées aux mahométans. »

Et Eustache, ravi, frappe gaiement dans ses mains.

« Et voilà pourquoi le mahométan fait appel à un ignorant comme toi pour obtenir des épées.

— Et si je lui en vends quand même ?

— Tu iras rôtir en enfer pour l'éternité. »

Barnabé est très triste. Quelques larmes emplissent ses yeux.

« Mais alors, c'est impossible de gagner de l'argent sans faire des batailles ou des tournois ?

— Il y a beaucoup de manières de gagner de l'argent. Moi, je recopie les cours de maître Pierre Abélard. Ensuite je vais les vendre à un châtelain qui s'est retiré dans une abbaye. Il veut apprendre la dialectique, et il me paie bien. J'y vais de ce pas.

— Je t'accompagne, dit Barnabé, découragé par les révélations de l'étudiant.

— C'est juste à côté, dans l'abbaye de Sainte-Geneviève. »

*

L'abbaye de Sainte-Geneviève est sur le flanc de la colline, entre les champs de vigne et les maisons d'un petit bourg. Eustache, en habitué, salue de la tête le portier et pénètre avec Barnabé dans une cour intérieure. À gauche, se trouve l'hostellerie qui accueille les visiteurs fortunés. Au premier étage, sont disposés les dortoirs pour hommes et pour femmes. Au rez-de-chaussée, le réfectoire commun.

« Suis-moi, dit Eustache à Barnabé.

— Je n'ose pas. Je t'attendrai ici. »

L'étudiant pénètre dans une longue salle voûtée, où s'alignent, de part et d'autre, tables et bancs. Eustache se dirige, son parchemin roulé sous le bras, vers l'ancien seigneur de Montcornet. À côté de lui, se tient une demoiselle au visage si resplendissant que, malgré sa désinvolture coutumière, Eustache la regarde attentivement.

« Voilà le cours de ce matin, dit-il en tendant le parchemin au seigneur. »

Le vieil homme a un sourire désolé.

« Je n'ai guère le cœur à la dialectique, aujourd'hui. La demoiselle que tu vois ici, et qui est arrivée hier, m'a appris des choses bien tristes sur l'état de mes terres. Mon fils Foulque se conduit sans mesure. Partout la jalousie, le meurtre et la légèreté ont eu raison de la modération et de la sagesse.

— Il faut avoir confiance en Dieu, dit la belle demoiselle, et dans le roi de France.

— Que Dieu vous entende, Éléonore », répond le seigneur.

Eustache est saisi de fou rire. La demoiselle et le seigneur lèvent des yeux surpris.

« Vous êtes Éléonore, dont le nom sonne comme de l'or, dont la beauté est aveuglante, la taille fine comme une tulipe, le visage clair comme la neige... »

Et à nouveau il s'esclaffe.

« Mais je ne vous ai jamais rencontré, s'étonne Éléonore.

— Moi, j'ai affirmé que oui. Si vous saviez, ma demoiselle, ce que la dialectique m'a fait dire de choses hilarantes sur vous. Que des brigands vous avaient enlevée jusqu'à Chartres, puis d'autres jusqu'au château de Blois. »

Et Eustache essuie ses yeux qui pleurent de rire.

« Que signifie tout cela ? demande l'ancien seigneur de Montcornet. Cesse de t'esclaffer et donne-nous la raison d'une conduite aussi extravagante.

— Sire, ne vous fâchez pas. C'est que j'ai fait la route jusqu'à Chartres avec un chevalier nommé Thibaut de Sauvigny qui a pour la demoiselle si grand amour que parfois ce me semble folie.

— Vous êtes un ami de Thibaut ? s'exclame la demoiselle.

— Son écuyer, Barnabé, est dans la cour. »

Éléonore se précipite hors du réfectoire et rejoint Barnabé. Elle lui prend les mains, lui résume avec une volubilité extrême son emprisonnement, sa fuite et son arrivée ici.

« Je te prie, Barnabé, va dire à maître Guillaume que j'ai retrouvé mon chevalier, et qu'il ne se fasse plus de souci sur mon sort. Il a été pour Finette et moi d'une courtoisie et d'une générosité extrêmes. C'est lui qui paie ici notre séjour.

— Où demeure-t-il ? demande Barnabé.

— Tu le trouveras à la foire de Saint-Germain-des-Prés, dans l'allée des soieries et brocarts d'Orient. »

Puis Éléonore prend à nouveau les mains de Barnabé.

« Tu diras à Thibaut que, tous les jours à chaque cloche qui sonne, toutes les nuits à chaque étoile qui se lève, j'ai pensé à lui et que...

— Ne vous inquiétez pas, ma demoiselle, l'interrompt Barnabé. Tout lui sera bien expliqué. »

*

Pendant que Barnabé découvre la rive gauche de la Seine, Thibaut se dirige vers le palais royal. Il est ému et inquiet. Tout se passera-t-il comme il le souhaite ? Pourra-t-il mettre son épée, son courage et sa foi au service du roi de France ? Car c'est ce roi, ce fils très particulier de l'Église romaine, qui seul est capable de rabaisser la superbe des seigneurs tyranniques et d'accomplir la vengeance de Dieu.

La cour du palais est rectangulaire. À gauche se dresse la chapelle Saint-Nicolas, en face une galerie, à droite le logis.

La salle du roi est étroite et longue. D'immenses

tapisseries recouvrent les murs, et des glaïeuls jonchent le sol. Dans un coin, les jongleurs font une douce musique. Assis sur un trône au tissu brodé, le roi se tient entouré par ses chevaliers. Le visage de Louis VI est carré et énergique, sa carrure large et forte, sa voix grave et autoritaire.

« Qui es-tu, chevalier ?

— Je suis Thibaut de Sauvigny. Je viens de Chartres qui est assiégée par le comte de Blois et ses vassaux. Je vous apporte une lettre de l'évêque qui vous demande secours. »

Louis le Gros s'empare du parchemin, le lit, et s'adresse à ses compagnons :

« Chevaliers, nous allons repartir, une fois encore, nous battre contre un seigneur tyrannique, qui ne songe qu'à voler les pauvres, piller les églises et jeter le désordre dans tout le pays. »

Le roi se lève en ajoutant :

« Je lèverai un ost[1] et nous irons venger Dieu, soutenus par Sa puissance et la force des armes. »

Un murmure d'approbation succède à ce fier discours. Thibaut rougit de timidité.

« Sire, je voudrais combattre sous votre bannière et devenir un chevalier de France. »

Le roi sourit.

« L'évêque fait grand cas de ta vaillance et de ton

---

1. Une armée.

honneur. Veux-tu demeurer complètement mon homme ?

— Je le veux. »

Louis le Gros tend ses mains dans lesquelles se posent celles de Thibaut qui dit d'un ton triomphant :

« Je promets sur ma foi d'être désormais fidèle au roi de France, de garder parfaitement, envers et contre tous, l'hommage que je lui ai prêté de bonne foi et sans fourberie. »

9

Le déshonneur

Devant le parvis de la cathédrale Notre-Dame sont éparpillées les ruines d'une ancienne église. Thibaut et Barnabé y déambulent en attendant Torticolis. Ils observent les habitants qui se promènent pour profiter de la douce tiédeur de la tombée de la nuit, tandis qu'une procession éclairée par des torches se dirige vers Notre-Dame. Torticolis s'approche en faisant quelques cabrioles sur les blocs de pierre, lorsqu'il est frappé par le regard sombre d'une mendiante. Elle a la tête entièrement recouverte d'un vieux châle qui dissimule une partie de son visage et regarde Thibaut.

« Méfiez-vous, chevalier, quelqu'un vous veut du mal », s'alarme le jongleur.

Thibaut rit.

« Torticolis, tu vois trop souvent autour de toi la méchante action du Diable. Sache qu'au contraire tout va pour le mieux. Grâce à Barnabé j'ai retrouvé la belle, la rayonnante Éléonore et le roi m'a fait chevalier de France. Dans quelques jours nous partirons en guerre.

Torticolis s'obstine :

« J'ai vu dans les yeux de cette mendiante un cœur très cruel. »

Thibaut se fâche :

« Cesse de vouloir m'apporter des soucis alors que je suis tout joyeux. Venez plutôt, tous deux, boire à la taverne. Ensuite j'irai au palais et vous chercherez une chambre en ville. »

Torticolis chuchote à l'oreille de Barnabé :

« Je suis certain que c'était le regard de la garce folle. »

Barnabé hausse les épaules, résigné.

« Tu ne pourras rien lui faire entendre : il est tout joyeux. »

*

Barnabé se réveille de bonne humeur. Il se lève, s'habille, fait sa prière et quitte la chambre de l'auberge en laissant le jongleur endormi.

C'est l'aube blanche. Un peu de la fraîcheur nocturne traîne dans les rues étroites. Les coqs des jardins environnants lancent leur appel vers le ciel, tandis que des passants se dirigent vers une église, pour la première messe.

« Je vais me rendre à Saint-Germain-des-Prés, se dit Barnabé. J'irai voir maître Guillaume de la part d'Éléonore. Cela me fera une petite promenade. »

De l'autre côté de la Seine, il y a déjà beaucoup de passage sur le chemin de la foire, si bien que Barnabé ne remarque pas la mendiante qui le suit de loin. Lorsqu'il arrive au bourg Saint-Germain, le soleil se lève à l'horizon et les marchands déballent leurs marchandises. Barnabé trouve facilement maître Guillaume. C'est un homme grand, au visage buriné par les voyages, aux yeux pétillants sous de gros sourcils.

« Éléonore vous fait dire qu'elle a retrouvé son chevalier. »

Maître Guillaume a un large et franc sourire.

« J'en suis ravi. C'est une si charmante demoiselle. Dis-lui de me faire parvenir régulièrement de ses nouvelles. »

Et maître Guillaume déplie et étale sur une table à tréteaux ses tissus étincelants. Barnabé, qui se dandine d'un pied sur l'autre, ose enfin demander :

« Comment devient-on marchand ?

— En apprenant, mon garçon.

— Et que faut-il apprendre exactement ?

— À acheter bon marché et à revendre ailleurs plus cher. »

Puis avec un sourire admiratif il montre sa marchandise.

« Tu vois, ici je vends des soies et des brocarts magnifiques qui viennent de Constantinople, la ville aux sous d'or, aux assiettes d'or, aux verres d'or, la ville aux mille merveilles. Et là-bas, je vends de la toile de Reims, de la dentelle de Flandre. Quoique, à vrai dire, je sois maintenant un peu vieux pour faire tous ces longs voyages.

— C'est grand comme Paris, Constantinople ? »

Maître Guillaume paraît amusé de cette comparaison.

« Paris est une toute petite ville, de trois mille habitants. Constantinople est cent fois plus vaste.

— J'aimerais bien y aller, dit Barnabé.

— Pour être marchand, il faut aimer les voyages et parler les langues étrangères. Et pas le latin, ajoute maître Guillaume avec un éclair de malice.

— Cela tombe bien, je ne sais pas le latin », répond gravement Barnabé.

Maître Guillaume, souriant de la naïveté de l'écuyer, aperçoit un homme qui lui fait signe.

« Garde mon étal un instant, mon garçon. Il y a là-bas un marchand florentin avec qui je suis en affaire. »

Une fois seul, Barnabé entreprend de faire comme le marchand. Il s'empare d'un beau tissu scintillant et harangue la foule :

« Dames et demoiselles, marchands de tous pays, regardez les belles soieries qui viennent de Constantinople, la ville aux sous d'or, aux assiettes d'or, aux verres d'or, la ville aux mille merveilles. »

Barnabé s'arrête, ne sachant plus quoi dire, puis il songe à Torticolis et à toutes ses jolies chansons.

« Messires, arrêtez-vous. Voyez comme vos douces amies auront le cœur ravi devant toutes ces soieries. »

Dames et demoiselles, chevaliers et manants s'arrêtent pour écouter le joyeux marchand. Barnabé, à sa grande surprise, s'aperçoit qu'il se souvient très bien des chansons du jongleur. Son joli boniment plaît aux acheteurs. Comme il ne sait pas lire les prix, il demande des prix extravagants.

À son retour maître Guillaume est fort étonné.

« C'est bien, mon garçon. Je constate que tu as de la mémoire pour savoir tant de beaux discours. C'est indispensable, la mémoire, pour un marchand. »

Maître Guillaume prend les pièces gagnées par Barnabé, et lui rend quatre livres.

« Tu as vendu plus cher que je ne l'aurais fait. Je te donne le bénéfice. Ne veux-tu pas travailler avec moi ?

— Cela me plairait bien, répond Barnabé. Car je

n'aime pas tellement la chevalerie. Mais je suis attaché à mon maître. C'est un chevalier qui fait souvent
des sottises, et qui a besoin de moi.

— Comme tu voudras, mon garçon. Reviens me
voir quand tu le désireras. »

Heureux de son succès, l'écuyer se rend dans une
taverne ambulante pour boire un bol de bière, tout
en se répétant : « J'ai quatre livres, soit quatre-vingts
deniers, soit neuf cent soixante sous. Jamais je ne fus
si riche de ma vie. »

À ce moment-là, le mahométan s'approche de lui.

« As-tu trouvé des épées franques à me vendre ?

— Que le Diable t'emporte ! s'écrie Barnabé
furieux. Tu voulais m'envoyer rôtir en enfer pour
l'éternité.

— Ce sont là sottises de curé. Si tu offrais un
dinar d'or à ton curé, il te répondrait autre chose.

— Tu parles comme un mécréant. Je ne veux
plus rien entendre de ta traîtresse proposition. »

Et Barnabé, fort satisfait de son fier discours,
quitte la taverne. Le mahométan vide son gobelet
avec dépit, lorsqu'une mendiante au regard sombre
s'approche de lui et lui parle longtemps à voix basse.
Le visage du mahométan s'éclaire d'un sourire satisfait.

*

Dans la première cour de l'abbaye de Sainte-Geneviève, Thibaut tient dans ses mains celles d'Éléonore.

« Je pars en aventure avec notre roi Louis, puis je reviens te chercher et jamais plus ne te quitterai. »

Éléonore a l'air affligé.

« Si tu pars, bel ami, c'est que tu ne m'aimes plus.

— Joie de mes yeux et de mon cœur, tu sais bien que je ne puis faire défaut à mon roi lorsqu'il a besoin de moi.

— Et si tu te trouves en danger ? »

Thibaut a un large sourire.

« Tu dis grande sottise. Devrais-je éviter le péril et la hardiesse ? Voudrais-tu pour ami un chevalier craintif et hors d'usage ? »

Éléonore baisse les paupières sur ses yeux qui s'embuent de larmes.

« C'est que je voudrais tous les jours te voir.

— Ma douce demoiselle, tu ne seras pas seule. Tu gardes mon cœur avec toi, et je n'aurai aucune joie tant que tu ne seras pas là. »

Éléonore le regarde avec des yeux pleins de tendresse. Thibaut embrasse les mains de son amie, puis sort de l'abbaye à reculons pour voir jusqu'au dernier moment la demoiselle belle et fière.

*

Dans le verger royal qui s'étend entre le palais et la Seine à l'extrémité de l'île, Louis VI déambule en compagnie de l'abbé Suger. C'est un homme petit et chétif mais énergique et décidé, qui dirige l'abbaye de Saint-Denis. Le roi paraît furieux.

« Déjà il y a les Anglais, à Gisors, qui sont prêts à me faire la guerre, et il faut encore que la paix soit menacée par le comte de Blois et ses vassaux. »

Les yeux de Louis VI jettent des éclairs de colère.

« Je ne tolérerai pas la révolte de ces factieux et les écraserai sans pitié. »

L'abbé Suger hoche le menton, l'air content.

« Je suis heureux, sire, de vous voir dans de telles dispositions. Il vous incombe d'accomplir la vengeance de Dieu et de restaurer la paix de la patrie.

— Je vais assembler un ost pour livrer bataille. Mais mes vassaux, les ducs de Normandie, de Bourgogne, d'Aquitaine, le comte de Flandre, m'enverront-ils des chevaliers ? Ah ! qu'il est difficile de faire respecter l'autorité du roi de France !

— Vous y arriverez, sire, car l'onction du sacre vous élève au-dessus de tous ces grands ducs. Et n'oubliez pas que vous êtes soutenu par tous les évêques du pays.

— Et par les pauvres gens, ajoute le roi avec un sourire attendri. Ces pauvres qui sont fatigués de la turbulence des seigneurs. »

À ce moment, au bout du jardin, la tête du mahométan surgit au-dessus du mur. Il siffle pour attirer l'attention royale et jette un parchemin sur le sol, avant de disparaître. Intrigué, le roi s'approche, déroule le parchemin et lit à haute voix :

« *À Omar, fils d'Omar. Maintenant que je suis introduit dans le palais du roi, je trouverai facilement vingt belles épées. Je vous les vendrai au prix que nous avons fixé. Thibaut de Sauvigny.* »

— Qui est ce Thibaut ? demande l'abbé Suger.

— Un jeune chevalier, au visage franc et honnête, qui m'a prêté hommage hier.

— Un traître qui a abusé de votre bonne foi.

— Les vassaux fidèles sont rares dans ce pays », dit le roi avec regret.

Avant le dîner, le cœur rempli de la beauté d'Éléonore, Thibaut franchit la porte du palais. Préoccupé par le souvenir de sa belle demoiselle, il ne voit pas six gardes qui s'approchent de lui.

« Traître », déclare l'un.

Thibaut sort de sa rêverie pour découvrir avec stupeur six épées étincelantes pointées sur lui.

« Vous vous trompez certainement de personne, déclare Thibaut. Je suis un chevalier très chrétien du roi de France.

— Tu es bien Thibaut de Sauvigny ?

— Je le suis.

— Alors c'est bien toi le traître qui vend des épées franques aux infidèles. »

Thibaut reste abasourdi par cette accusation.

« Vous dites là mensonge et folie. Je consens à être brûlé vif, si j'ai commis pareille traîtrise.

— Nous n'écouterons pas tes sornettes, déclare un garde. Tu t'expliqueras demain avec le roi, quand il t'interrogera. »

Et en un instant Thibaut est ligoté, emmené dans la galerie des prisonniers qui se trouve derrière la salle du roi.

*

Le lendemain matin, devant la cathédrale Notre-Dame, Barnabé, Torticolis et Eustache attendent Thibaut. Ils déambulent dans les ruines où se tient un marché, s'occupant à écouter les vendeurs qui vocifèrent pour annoncer leurs produits, ou les acheteurs méfiants et soupçonneux qui vérifient prix et marchandises. Pourtant le temps leur semble long et une vague inquiétude remplit leur cœur. Quand sonne sixte, les marchands remballent leurs marchandises et laissent aux chiens, chats et poules le terrain jonché de détritus.

À l'heure du déjeuner, les trois compagnons restent seuls sur la place. C'est alors qu'apparaît Thibaut. Blême, titubant, les yeux rougis, il s'effondre sur une pierre.

« Qu'avez-vous ? demande Eustache. Êtes-vous blessé ?

— C'est au cœur que je suis blessé », répond le chevalier.

Ses compagnons s'interrogent du regard. D'une voix si faible qu'elle est presque inaudible, Thibaut annonce :

« Le roi m'a retiré son amour. »

Un silence consterné accueille cette nouvelle. Même Eustache reste muet. Barnabé songe avec consternation qu'à nouveau ils vont devoir errer à l'aventure. Torticolis voit dans les yeux de son maître la honte lui brûler le cœur comme le feu de l'enfer. Les hypothèses les plus farfelues germent dans le cerveau d'Eustache.

« Mais enfin, demande l'étudiant, de quoi vous accuse-t-on ?

— De vendre des épées à un mahométan.

— C'est lui, c'est ton mahométan, Barnabé, qui est la cause de cette trahison, s'exclame l'étudiant.

— Mais pourquoi en voudrait-il à mon maître ? » s'étonne l'écuyer.

Après un silence, Torticolis conclut :

« La garce folle ! C'est une vengeance de la garce folle. »

Puis se tournant vers son maître, il ajoute :

« Aux yeux de Dieu, votre cœur est resté droit et pur. »

Eustache raisonne :

« Vous n'avez rien à craindre, chevalier. La dialectique veut qu'après le mensonge apparaisse la vérité, éclatante comme le soleil qui sort rougeoyant dans l'aube pâle.

— Oh ! laissez-moi en paix, murmure Thibaut accablé. Cessez de m'affliger par de vaines paroles. »

*

Les jours suivants, les amis restent pensifs et mornes. Eustache tente de comprendre la raison d'une telle catastrophe. Ne pouvant expliquer ce malheur par la dialectique, il conclut qu'il y a là l'effet de quelque diablerie. Barnabé retourne au bourg Saint-Germain. Mais la foire est finie. Les étalages ont disparu. Seuls les marchands discutent encore pour apurer leurs comptes et faire les compensations. Barnabé ne retrouve ni le mahométan, ni maître Guillaume. Son seul réconfort est de sentir les deniers dans ses chaussures, sinon il croirait avoir rêvé. Torticolis examine toutes les mendiantes sans découvrir Rosamonde. Éléonore pleure : son chevalier ne veut plus la voir tant qu'il n'aura pas retrouvé l'honneur.

*

Thibaut erre dans la cité, surveillant le palais d'où il est désormais banni. Il y règne une intense activité. Avec grande envie et grande douleur, Thibaut

217

voit arriver des chevaliers envoyés par les ducs et comtes du royaume, reconnaissables à leur bannière. Thibaut devine que le roi a convoqué un ost.

Un matin, suivi par sa troupe, Louis le Gros sort du palais, monté sur un beau destrier. Le cortège se presse dans les rues étroites, puis emprunte la route large et bien pavée qui conduit à l'abbaye de Saint-Denis.

L'église du saint, protecteur des Francs, est entourée de machines et de treuils. En effet, l'abbé Suger a décidé d'élever une voûte exceptionnellement haute dans le chœur du bâtiment, et de mettre aux fenêtres des verres que l'on nomme « vitraux » et qui représentent en couleurs des personnages.

De loin, le cœur ravagé par la honte, Thibaut voit les chevaliers descendre de cheval et entrer dans l'église. Il aperçoit l'abbé Suger qui apporte les reliques de saint Denis avec un grand cortège de chanoines. Il entend les chants de louange au Dieu tout-puissant qui protège le roi de France. Il voit enfin sortir la foule, joyeuse et pleine d'espérance. Un cavalier dresse près de Louis VI l'oriflamme de soie rouge, le drapeau de saint Denis qui accompagnera le roi pendant la vengeance de Dieu.

L'ost du roi s'avance sous les acclamations de la foule. Les trompettes sonnent, les chevaliers chantent avec les jongleurs leur joie de faire maintes prouesses.

Thibaut pleure. Longtemps. Il semble que ses larmes soient intarissables tant est grande sa peine d'avoir perdu l'amour de son seigneur. Jamais il n'a eu si grand chagrin de sa vie.

*

Torticolis regarde le portail de Notre-Dame et chante la vie de la Sainte Vierge. Barnabé l'écoute distraitement lorsqu'il voit arriver son maître.

« Il a l'air si grave et sinistre qu'il me fait peur », dit l'écuyer.

Thibaut s'approche d'un air résolu.

« Barnabé, voilà ce qui me reste de l'argent donné par l'évêque de Chartres. Va m'acheter une lance, un bouclier vert, un heaume, et un cheval. Nous partons.

— Où cela ? demande Torticolis.

— Avec l'armée du roi. »

Barnabé fronce les sourcils et semble ne plus rien comprendre.

« Pourtant le roi vous a... chassé de son palais ? »

Les yeux de Thibaut brillent d'indignation.

« Ne répète jamais des mots pareils », ordonne-t-il.

*

Ils sont tous les trois, toujours tout seuls, à

quelques centaines de pas à l'arrière de l'armée du roi. Thibaut, sur son cheval, est revêtu de toutes ses armes. L'écuyer et le jongleur vont à pied. Selon le sens du vent, ils entendent les trompettes annoncer l'installation du camp ou le départ matinal. Parfois l'odeur de la viande grillée arrive jusqu'à eux. Thibaut ne parle presque plus. Son cœur est plein de douleur lorsqu'il pense à Éléonore et plein de désespoir quand il pense au roi. Alors il ordonne à son jongleur :

« Chante pour ton chevalier, chante sa gloire et ses prouesses. »

Et, docile, Torticolis chante que son chevalier est le plus preux et le plus fidèle du pays.

« Quel chagrin, murmure-t-il ensuite à Barnabé, quel chagrin de célébrer les prouesses d'un chevalier qui n'accomplit plus aucun exploit.

— Et moi, dit Barnabé, j'en ai assez d'astiquer, tous les matins, les mailles de son haubert, de vérifier les courroies de son bouclier, de lacer son heaume, alors que le chevalier n'attaque même pas un lapin. »

La tristesse fait pencher davantage la tête de Torticolis.

« Je lis dans ses yeux le mal de la honte. C'est un mal si profond qu'il en perdra la raison. »

*

Quelques jours plus tard, une pluie torrentielle inonde la plaine.

« Allons nous réfugier dans ce village », dit Thibaut.

La taverne est déjà pleine de monde. Beaucoup se sont réfugiés là pour éviter la tourmente. À l'odeur de cervoise et de vin s'ajoute une moiteur tiède et collante.

« Je n'ai pas d'argent, déclare Thibaut au tavernier, mais mon jongleur peut divertir l'assemblée de ses chansons.

— Cela ira comme cela, fait le tavernier débordé par l'affluence.

— Chante, Torticolis », ordonne Thibaut.

Le jongleur soupire, prend sa vielle et chante son maître preux et hardi, tous les chevaliers errants en quête d'aventures et d'exploits. Autour de lui les clients se regroupent, heureux d'entendre une aussi belle voix. Torticolis, envoûté par la musique, chante Paris et le roi Louis, chante l'amour d'Éléonore.

Soudain, il tressaille. Non loin de lui, dans un coin, sur la paille, s'installent deux hommes qui parlent à voix basse. Torticolis est frappé par la félonie qui se lit dans leurs regards. Tout en chantant, il s'approche de Barnabé et lui murmure à l'oreille :

« Surveille ces deux malandrins, ils ne me disent rien qui vaille. »

Barnabé se glisse au fond de la taverne et s'allonge sur la paille, quoiqu'elle soit mouillée, sale et malodorante. Il fait semblant de dormir.

« En voilà un qui a trop bu, dit un malandrin. Bientôt il va ronfler comme le sonneur de l'église qui n'entend plus ses cloches.

— Écoute-moi, prévient le deuxième homme, tous les jours après le repas de midi, le roi va faire une petite promenade pour se dégourdir les jambes. Cette promenade, il la fait seul.

— Sans escorte ? Le roi se promène sans escorte ?

— Ne m'interromps pas tout le temps. Le roi donc s'éloigne un petit moment... juste le temps qu'il te faudrait pour boire un pichet de vin... et puis il s'en retourne vers ses chevaliers.

— Où veux-tu en venir ? demande le premier malandrin. Tu m'avais promis que nous gagnerions beaucoup d'argent.

— Ne te presse pas. J'y arrive. Et ne crie pas comme cela, on va t'entendre. Eh bien, demain, avec les quatre fils du père Gaston, nous attendons le roi, l'emmenons, et le rendons contre une bonne rançon. »

Le compagnon sourit.

« C'est le Malin qui t'a inspiré cette bonne aventure. »

« Es-tu certain d'avoir bien répété tout ce que tu as entendu ?

— Puisque je te dis, Torticolis, que j'ai de la mémoire. Maître Guillaume me l'a affirmé. Depuis, je me suis aperçu que je me souvenais de tout très bien. J'avais de la mémoire sans le savoir. »

Torticolis regarde autour de lui. L'air est chaud et léger. L'orage passé, le soleil se lève gaiement dans un grand concert de gazouillis d'oiseaux. Assis contre le tronc d'un chêne, le visage blême, le regard fixe, les lèvres blanches, Thibaut semble engourdi par le chagrin.

« Sera-t-il capable de se battre ? s'inquiète Barnabé. Sera-t-il assez fort ? Cela fait plusieurs semaines qu'il n'a pas jouté. Il paraît tellement faible.

— Je m'en vais à la messe demander à Dieu sa protection.

— Et moi, je vais faire étinceler ses armes. »

*

À l'heure du repas de midi, les trois compagnons marchent prudemment dans la forêt, guidés par les éclats de voix qui proviennent de l'ost du roi. À l'orée du bois, Thibaut s'avance de quelques pas et examine les environs. Dans la plaine, Louis le Gros termine son repas au milieu de ses compagnons d'armes. Quand les jongleurs viennent divertir l'assemblée de leurs chants, le roi se lève et les mains derrière le dos arpente la prairie en direction du bois. Il tient sa tête courbée vers le sol, en proie à ses pensées. Dès qu'il atteint la lisière de la forêt, six forts gaillards se précipitent sur lui, l'entraînent sous les arbres, le bâillonnent et le ligotent.

« C'est le moment », déclare Thibaut.

D'un pas rapide il galope vers le groupe de malandrins en brandissant sa lance et en criant :

« À moi, *Santacrux* ! »

Les bandits, un instant surpris par cette irruption soudaine, saisissent leurs pieux et frappent violemment le cavalier et son cheval. L'animal hennit de douleur, Thibaut chancelle. Il a la tête qui tourne et le monde lui apparaît dans une sorte de brouillard. Seul le maintient le courage du désespoir. Sa lance rompue, son cheval assommé, il tire son épée, et rassemblant toute son énergie, sans regarder au danger, seul contre six, il se fend, attaque, saute, bondit et attaque encore. Soudain il pousse un cri lorsqu'un violent coup de pieu le fait tituber.

« Je vais l'aider, dit Barnabé.

— Non, répond avec douceur Torticolis. Tu lui serais de peu de secours et tu lui enlèverais beaucoup d'honneur. »

Par dix fois Thibaut est jeté sur le sol, par dix fois

224

il se relève et blesse ses adversaires. Finalement les brigands, désemparés par une telle rage de vaincre, s'enfuient dans la forêt. Épuisé, Thibaut tombe à genoux et met sa tête dans ses mains. Il sanglote de fatigue, de joie, de soulagement, de victoire, il sanglote en murmurant :

« Merci, mon Dieu, merci d'avoir soutenu ma vaillance. »

Barnabé défait les liens du roi tandis que Torticolis prend sa vielle et chante :

« Pour son seigneur Louis, pour son roi bien-aimé,
D'audace et de courage fait preuve le chevalier
Car pour Louis volontiers sa vie il eût donnée
Plutôt que de son blâme se savoir accusé. »

« Sire, explique Barnabé, tout cela était à cause du mahométan qui voulait que je lui trouve des épées, et de Rosamonde qui voulait se venger de mon maître parce qu'elle en est jalouse. Tout cela est arrivé parce que, moi, j'aime les marchands et les foires. Mais je vous jure, par saint Denis qui protège la France, que jamais mon maître n'a été déloyal envers l'Église et envers son roi.

— Je ne comprends rien à ton histoire, dit le roi Louis en se relevant. Mais je comprends que ce chevalier a été accusé injustement. Jamais je ne vis pareille prouesse. »

En s'approchant de Thibaut, toujours agenouillé, il déclare :

« Relève-toi, chevalier, je te rends mon amour et te remercie de m'avoir sauvé de ces brigands. Désormais reste auprès de moi, car nous aurons besoin de ta hardiesse. »

*

L'air est lourd. Des vols d'hirondelles viennent raser le sol, tandis que les piverts tapent régulièrement sur les troncs des arbres.

« Il va encore pleuvoir, remarque Foulque. Décidément ce siège est bien long. »

Sous la tente parsemée d'herbes et de paille, Foulque joue aux échecs avec Ernaud le Fier.

« Je pensais que Chartres se rendrait avant la mauvaise saison », précise le chevalier.

Tous deux lèvent la tête en entendant une voix familière et autoritaire :

« Occupe-toi de mon cheval, et couvre-le bien, il est en sueur. »

Aussitôt la porte de la tente s'ouvre et Rosamonde apparaît.

« Vous voilà enfin ! dit Foulque. Avez-vous retrouvé Éléonore ?

— Oui. Elle est en lieu sûr.

— Où cela ?

— Dans une abbaye. Mais c'est moi-même qui m'occuperai d'elle quand la guerre sera finie. »

Foulque fronce les sourcils.

« Et d'ici là, Thibaut de Sauvigny peut la découvrir ? »

Rosamonde éclate d'un rire argentin.

« Il sait où elle se trouve, car c'est en le suivant que j'ai découvert la cachette de ma sœur. Mais vous n'avez plus rien à craindre du chevalier de Sauvigny. Il est déshonoré. Le roi l'a chassé de son palais, pour traîtrise et félonie. Thibaut n'osera plus jamais se présenter devant Éléonore.

— Traître à son roi ? s'étonne Ernaud le Fier. J'ai peine à vous croire. C'est un chevalier si loyal. Que lui est-il donc arrivé ? »

Rosamonde a un sourire satisfait.

« C'est à cause de moi.

— Qu'avez-vous fait ?

— J'ai fait croire au roi que le chevalier vendait des épées franques aux infidèles. C'est une bonne ruse, n'est-ce pas ? »

Ernaud se redresse, indigné.

« Vous l'avez accusé à tort de traîtrise ? De complicité avec nos ennemis en Terre sainte ?

— Eh quoi ! dit Foulque d'un ton badin, rassieds-toi, l'ami. Il s'agit là d'un chevalier fort pauvre qui ose prétendre à l'amour d'Éléonore. »

Mais Ernaud reste scandalisé.

« Vous me fâchez. Vous parlez avec légèreté d'un chevalier courageux et loyal que je suis toujours heureux de retrouver pour combattre. Je vous quitte dès cet instant. Je ne veux pas servir un seigneur qui utilise la fourberie pour vaincre ses rivaux.

— Tu plaisantes ! » s'exclame Foulque abasourdi.

Mais déjà Ernaud saisit par terre un brin de paille. Il le présente devant Foulque et le brise en déclarant :

« Je romps l'hommage que je vous ai fait et les liens de foi et de fidélité. »

Et, sans ajouter un mot, il quitte la tente.

10

L'ost du roi

Sonnent les trompes, résonnent les tambours, claquent au vent les bannières. Qu'ils sont fiers les chevaliers de France en ce doux matin de septembre. Ils passent le long des vignes, suivent les chemins entourés de noyers, bousculent à travers prés les vaches et les moutons. Le bruit de leur galop effraie les oiseaux qui s'envolent, les lapins qui détalent. Derrière l'oriflamme de saint Denis, Thibaut, le cœur riant, le cœur content, talonne le destrier du roi.

Sous les murs de Chartres, en rangs serrés, les chevaliers du comte de Blois les attendent. Dans les deux camps, on se prépare pour l'affrontement.

« Par le glaive de Dieu ! s'écrie Louis en se dressant sur ses arçons.

— Montjoie et saint Denis ! » crie le porte-oriflamme.

Alors, indifférents au danger, les chevaliers se jettent les uns face aux autres et le combat commence, grand et farouche dans le pré. Les boucliers se fendent sous les coups, les heaumes se couvrent de creux et de bosses, les mailles des hauberts volent teintées de sang, les chevaliers roulent par terre, les chevaux s'enfuient l'écume aux naseaux.

Bientôt les adversaires du roi reculent et sont pris au piège entre les remparts de Chartres et l'ost royal.

« Il faut fuir avant d'être écrasés, dit Foulque à Gascelin. Je vais faire sonner la retraite. »

Les trompettes sonnent, les bannières de Blois et de Montcornet s'enfuient vers le sud. Mais les chevaliers de France poursuivent les vaincus, saisissant ici un cheval, là un prisonnier, là encore une bannière.

Thibaut, heureux de retrouver l'honneur et la hardiesse, caracole gaiement. Tout à sa joie, il ne s'aperçoit pas qu'il s'éloigne de ses compagnons et chemine tout seul au milieu d'une plaine. Profitant de l'aubaine, trois fuyards de la troupe de Blois font brusquement volte-face pour attaquer le chevalier. Les soldats du comte de Blois sont des chevaliers fort expérimentés qui donnent à Thibaut maints coups habiles et violents. Ils frappent si souvent et si durement sur son heaume, que celui-ci, détaché du haubert, pivote d'avant en arrière. Le nasal sur le crâne, et le casque devant le visage, Thibaut ne voit plus rien. Il tente d'arracher le heaume, mais celui-ci est tellement cabossé, bosselé et déformé, qu'il est rivé sur sa tête. Comme un lion en rage, Thibaut frappe de tous côtés à l'aveuglette, épuisant ses forces inutilement.

Les trois chevaliers ennemis se divertissent fort de la situation. Ils rient et donnent de violents coups d'épée dans la poitrine de leur adversaire. Thibaut perd du sang. Un ennemi s'esclaffe :

« Rends-toi ou tu vas finir en lambeaux. »

Mais Thibaut, exaspéré, continue à faire tournoyer *Santacrux* dans le vide.

« Sa colère est si grande qu'il en perd la raison », remarque en riant un chevalier ennemi.

C'est alors qu'une voix chaleureuse se fait entendre :

« Mais c'est le chevalier au bouclier vert !

— Qui es-tu ? demande Thibaut, ami ou ennemi ?

— Je suis Ernaud le Fier, qui me rends à Orléans pour me lier par l'hommage au roi. »

Puis se tournant vers les trois cavaliers :

« Fourbes, n'avez-vous pas grande honte de vous

attaquer à un chevalier qui ne voit plus rien et ne peut se défendre ? »

Et en quelques coups de lance, il jette à terre les trois coquins.

« Qui êtes-vous ? demande Ernaud.

— Nous sommes trois chevaliers qui venons de Bourgogne et nous sommes liés par l'hommage à Foulque de Montcornet.

— Vous êtes aussi traîtres et déloyaux que votre seigneur. Allez, que le Diable vous emporte », lance Ernaud.

Les trois cavaliers ne se le font pas dire deux fois. Rapidement ils remontent sur leurs destriers et partent au grand galop. Ernaud tente de dégager le heaume de Thibaut.

« L'ami, je n'arriverai pas à enlever ton casque. Il faudrait un marteau et des tenailles. Je vais te ramener à ton écuyer. »

Tout en guidant son compagnon, Ernaud raconte à Thibaut la conversation de Foulque et de Rosamonde sur la ruse du mahométan qui a jeté un faux parchemin devant le roi.

« Coquins, misérables, infâmes, scélérats, tempête Thibaut, un jour tombera sur vous la terrible vengeance de Dieu. »

*

Avant de partir pour le château de Blois, le roi décide d'aller se reposer quelques jours dans sa bonne ville d'Orléans. Tout le long de la route, les paysans, les artisans, les bourgeois se rassemblent pour admirer l'ost royal. Au passage de Louis le Gros, ils s'inclinent respectueusement jusqu'à terre. Puis vite, ils se relèvent pour examiner les uns et les autres, commenter les bannières, les armes, les chevaux. Les jeunes filles tendent aux cavaliers des pommes et des poires qu'ils acceptent avec de grands sourires.

Dans les bourgs aussi, les habitants pavoisent. Les cloches carillonnent, les rues sont parsemées de fleurs et aux fenêtres sont suspendus de grands tissus brodés. Tous, enfants, hommes et dames, acclament le roi Louis en lui souhaitant joie et victoire.

Chaque soir, conformément à son droit de gîte, le roi s'installe dans une maison de son choix, tandis que sa suite envahit les auberges ou monte les tentes aux abords du bourg.

Enfin l'ost du roi arrive à Orléans. Aussitôt les serviteurs meublent le château de tous les objets déménagés du palais de Paris : grandes tapisseries soigneusement roulées, tapis, coffres précieux, vaisselle d'argent, garde-robe royale, couvertures et couettes de soie.

Le soir, les tables sont dressées, les nappes mises,

le dîner servi. Chevaliers et demoiselles conversent joyeusement en devisant sur les combats à venir.

*

Avant d'entreprendre le siège de la forteresse du comte de Blois, le roi attend que le temps change et que cessent les pluies quotidiennes de ce mois de septembre. Aussi l'ennui s'installe-t-il dans le château d'Orléans. Dans les coffres, les armes restent rangées et les hauberts roulés.

Après le déjeuner, Thibaut s'impatiente. Tout l'exaspère brusquement dans cette grande salle où les chevaliers et les dames tuent le temps en dansant. Thibaut trouve que l'odeur des herbes répandues sur le sol ne fait pas disparaître celle du repas et de la sueur des hommes. Il trouve la musique fatigante, les mouches agaçantes, les jeunes filles sottes et provocantes, bref tout lui paraît insupportable.

Aussi, discrètement, Thibaut sort-il de la salle. Sous le porche des écuries, il retrouve Barnabé assis, qui rêvasse.

« Viens, lui dit-il, je vais me promener au bord du fleuve. Il fait trop lourd ici et je m'ennuie. Ils sont ridicules, là-haut, à danser tout le temps.

— Si vous dansiez avec Éléonore, vous ne trouveriez pas... »

Thibaut l'interrompt :

« Ne me parle pas d'Éléonore. Son nom seul me

fait souffrir. Si notre sire ne se décide pas à combattre, je m'en retournerai à Paris la chercher et...

— Vous lui direz que vous avez abandonné l'ost du roi. La demoiselle sera bien fière de vous !

— Je sais, je sais, reconnaît Thibaut, au comble de l'irritation. Mais je n'en puis plus d'attendre pour me battre, d'attendre pour la voir. À tout moment je crains quelque péril pour elle. »

Trois vaches avancent dans la ruelle, conduites par une petite fille. Les nombreux passants s'écartent, les enfants s'amusent à faire tinter les cloches des animaux. Soudain, dans le ciel encore clair, brillent les lumières de l'orage. En peu de temps, de gros nuages noirs emplissent le ciel, et tombe une violente grêle accompagnée de tonnerre. Les chats se blottissent sous les portes, les poules s'enfuient en caquetant. Thibaut et Barnabé se réfugient dans la taverne la plus proche, déjà remplie de monde.

« L'orage m'angoisse, grommelle Barnabé. C'est comme si Dieu était en colère. »

Et pour chercher l'acquiescement de son entourage, Barnabé relève la tête et regarde tout autour de lui. Alors il blêmit. À sa gauche, d'une tête plus haut que lui, se tient le mahométan. Barnabé donne un coup de coude à son maître. Thibaut regarde son écuyer, puis l'homme, puis à nouveau son écuyer d'un air interrogatif. Barnabé lui souffle à l'oreille :

« C'est le mahométan. Celui qui achète des épées pour les infidèles. »

En voyant l'homme qui l'avait si injustement accusé auprès du roi, le sang de Thibaut ne fait qu'un tour.

« Viens dehors, toi qui as causé ma honte. »

L'autre, étonné, répond :

« Que me veux-tu ? Je ne t'ai jamais vu.

— Et moi, tu ne m'as jamais vu ? » demande Barnabé avec humeur.

Sur le visage du mahométan se lit la plus profonde surprise, à laquelle succède la plus vive panique. Se faufilant à travers les gens entassés, il se dirige vers la porte. Thibaut et Barnabé le suivent immédiatement.

Il pleut maintenant à verse. Le mahométan se précipite sous la pluie, suivi par les deux garçons. Déjà l'eau déborde de la rigole centrale et envahit à moitié la ruelle. Le mahométan tourne à gauche, puis à droite, puis à droite encore, et entre dans la dernière maison du bourg. Thibaut, emporté par la colère, se précipite à sa suite. À peine est-il entré que la porte se referme violemment.

La pièce est sale et obscure. Par l'étroite fenêtre arrive la lumière terne de ce jour gris. Thibaut discerne trois hommes. Le mahométan ; un autre très massif et légèrement bossu avec d'énormes mains ; le troisième, aux grandes oreilles et aux lèvres épaisses, est appuyé sur une large massue. Dans un coin, des épées plus ou moins vieilles sont empilées, à côté d'arcs, de flèches, de boucliers.

« Ce sont des trafiquants d'armes », pense Thibaut.

À ce moment-là on entend frapper trois coups. L'homme à la massue ouvre la porte sur le visage inquiet de Barnabé.

« Entre, ordonne le mahométan. Voilà ce que j'ai à te dire. Si tu m'apportes demain matin l'épée de ton maître, je le libérerai. Je ne suis pas un assassin, je suis un marchand clandestin. Mais si tu préviens qui que ce soit au château du roi, je tue ton chevalier sur-le-champ. Maintenant va. En revenant, à la tombée de la nuit, tu frapperas deux coups rapides puis deux longs. »

*

La pluie a cessé. Barnabé erre dans Orléans, l'esprit embrouillé de pensées confuses, puis se dirige vers la Loire. Assis sur le sable encore mouillé, il examine longuement les peupliers et les saules qui se couchent sous les bourrasques de vent, puis il frissonne. Il lui faut prendre une décision. Mais laquelle ? Tout est si compliqué. Barnabé se désespère. Puis il se souvient d'Eustache qui savait si bien raisonner et tente d'appliquer, comme il le pourra, la méthode dialectique.

Premièrement, s'il n'apporte pas une épée au mahométan, son maître sera tué. Et lui, Barnabé, aura toute sa vie, et pendant toute l'éternité, le poids de cette trahison. Conséquence : il sera jeté en enfer. À cette perspective, Barnabé gémit.

Deuxièmement, s'il apporte *Santacrux* au trafiquant d'armes, il donne ce qui est pour son maître, après Éléonore, le bien le plus précieux. Mais surtout, il donne à un infidèle un morceau de la vraie Croix. Conséquence : au Jugement dernier, saint Pierre annoncera à Dieu cette traîtrise et il sera jeté dans les flammes de l'enfer. Barnabé gémit à nouveau. Faut-il qu'il soit de toute façon condamné, pour avoir suivi fidèlement son maître ?

Reste une troisième solution, que l'écuyer hésite à examiner. Toutefois, le temps passant, il s'y trouve contraint. La solution consiste à sortir de ses chausses les quatre-vingts deniers de maître Guillaume, pour acheter une belle épée, digne d'un chevalier, mais une épée qui ne contienne pas un morceau de la Sainte Croix.

À cette perspective, Barnabé se sent l'âme déchirée comme ces arbres qui se tordent devant lui sous les rafales du vent. Combien de temps se ruinera-t-il pour l'honneur de la chevalerie ? Beaux deniers si bien gagnés à la foire de Saint-Germain-des-Prés, faudra-t-il déjà vous quitter ?

« Je fais des vers, songe-t-il, comme Torticolis. Le

jongleur a bien raison : la poésie et la musique adou-
cissent les tourments. »

*

Deux coups rapides, deux coups longs, un trafiquant ouvre la porte. Sans un mot, Barnabé tend
une épée un peu ébréchée, mais de bon acier bien
trempé. Thibaut fait à son écuyer un merveilleux
sourire de bonheur et de soulagement. Les trafiquants d'armes prennent alors des cordes avec lesquelles ils lient les mains et les pieds des deux compagnons.

« Nous partons maintenant avec les armes, et rou-
lerons toute la nuit, explique le mahométan.
Lorsqu'on vous découvrira, il sera trop tard pour
nous rattraper. »

Les trois hommes chargent épées, boucliers, arcs
et flèches sur un chariot.

« Si tu vas en Terre sainte, chevalier, peut-être
nous reverrons-nous ? » dit le mahométan.

Le chariot démarre dans l'obscurité. Barnabé
tremble. Il ne sait si c'est de froid ou de tristesse.

« Par Dieu et par Sa Croix, Barnabé, je te remercie de m'avoir sauvé et la vie et l'honneur. Comment
as-tu réussi à trouver l'argent pour acheter cette
épée ? demande Thibaut.

— Les deniers étaient à moi.

« — À toi ? s'étonne Thibaut. Tu me les avais volés au cours d'un tournoi, pendant une bataille ?

— Non, répond Barnabé, lugubre. Je les avais gagnés tout seul.

— Tout seul ?

— Oui, parce que j'ai beaucoup de mémoire », répond Barnabé avec dignité.

*

Dans le beau château de Blois, Gascelin regarde les hommes préparer le feu grégeois, avec de la résine, du soufre et du naphte. Puis ils plongent dans ce mélange des tissus qui sont ensuite noués pour faire des projectiles.

« Qui vous a dit de préparer tout cela ? demande Gascelin.

— Le seigneur de Montcornet », répond un homme.

Gascelin passe devant les archers qui préparent leurs flèches, devant les frondeurs qui attachent les cordes à des poches de cuir, et arrive près de la grande porte devant un chariot plein de grains. Gascelin s'adresse au paysan :

« Que viens-tu faire ici avec ton chargement ?

— Je viens mettre le grain au fond d'un puits. C'est un ordre du seigneur de Montcornet. »

Gascelin éprouve un vif ressentiment. Il s'approche de Foulque et déclare :

« Ici, c'est moi qui donne les ordres. Je suis le comte de Blois.

— Cesse de dire des sottises, répond Foulque. Ici, c'est Rosamonde qui commande et elle m'a demandé de préparer la défense du château.

— Elle a eu tort, répond Gascelin. Je ne veux plus lutter contre le roi de France. Il a été sacré et applique la paix de Dieu. Je veux être, comme mon père, son vassal soumis et obéissant.

— Tu es son vassal, comme moi je suis le tien, dit Foulque en riant. Mais cela ne m'empêche pas de commander dans ton château. »

Et, sans s'intéresser davantage à son interlocuteur, Foulque se remet à organiser la défense. Gascelin est devenu très pâle. La colère et l'humiliation se partagent son cœur.

« Maudites soient ma timidité et ma faiblesse, pense-t-il. Qu'adviendra-t-il de moi, qui suis responsable devant Dieu et devant le roi du comté dont j'ai la charge ? Plutôt que de craindre Foulque et ma sœur, je ferais mieux de craindre la vengeance de Dieu. »

Plongé dans ses méditations, Gascelin aperçoit Rosamonde qui franchit la porte de la deuxième enceinte. Elle s'avance, hochant la tête et parlant toute seule, en proie à une agitation constante. Elle déclare à son frère :

« Quand nous aurons gagné la bataille contre le roi Louis, j'irai rechercher Éléonore.

— Tu sais où elle se trouve ? s'étonne Gascelin, tout content. J'avais tellement peur qu'elle soit morte.

— Cela ne fait aucune différence. Si elle n'est pas morte, elle le sera. D'ailleurs tu as raison de me dire qu'elle devrait être morte. Je vais m'en occuper promptement. »

Et sans expliquer davantage ses propos énigmatiques, Rosamonde s'éloigne vers Foulque.

*

Finette jette un regard consterné sur sa maîtresse. Ses joues ont perdu leur belle couleur de roses fraîches, ses yeux sont voilés de mélancolie, sa voix est faible et morose. Elle ne raconte plus des histoires légères et joyeuses, mais reste de longs moments silencieuse, perdues dans sa rêverie. Soudain elle lève la tête.

« Finette, plus je songe, moins je comprends pourquoi le chevalier Thibaut n'est plus revenu me voir. À l'entendre, seule la mort pouvait le séparer de moi. Mentait-il ? Se moquait-il ?

— Ma douce demoiselle, le chevalier Thibaut ne s'est jamais moqué de vous. Il a dû lui arriver... je ne sais pas... quelque chose... Un véritable malheur, certainement.

— Finette, reprend la demoiselle, d'une voix encore plus basse, Finette, nous allons partir à sa recherche.

— C'est risquer grand danger.

— Ici aussi je cours un grand danger. Je risque d'être désespérée. L'abbé m'a dit que le désespoir, c'était la mort de l'âme. Vois comme je suis devenue maigre et laide et triste... même mes cheveux sont ternes.

— Ma demoiselle exagère. Elle souffre seulement du mal d'amour. »

Éléonore se redresse et arpente le dortoir. Dans ses yeux brille à nouveau la fierté de la fille du comte de Blois.

« Je ne souffrirai pas davantage sans savoir la vérité. Nous partirons demain. L'abbé nous prêtera des chevaux. Nous irons à Blois, chez tes parents, apprendre ce qui se passe. Ensuite je déciderai si je dois m'enfermer dans un couvent... à moins que le chagrin ne me fasse perdre la raison. »

Puis jetant un triste sourire sur sa servante, elle ajoute :

« Prépare ma robe couleur de paon, et viens longuement brosser mes cheveux.

— Rassurez-vous, maîtresse, ils brilleront comme avant. »

*

Comme toutes les nuits, Rosamonde cherche en vain le sommeil. Elle jette sur sa chemise son manteau écarlate, et arpente le chemin de ronde du château. La nuit est fraîche, la lune belle et ronde et Rosamonde voit distinctement le bourg à ses pieds et au loin les champs qui s'étendent jusqu'aux bois. Soudain, sortant d'une forêt, apparaissent deux chevaux au galop. Ils sont encore trop loin pour qu'on distingue les cavaliers. Mais comme ils se rapprochent, Rosamonde peut reconnaître, longue, belle et droite, dans une robe couleur de paon, une jeune fille aux longs cheveux dénoués.

« Éléonore », murmure Rosamonde, abasourdie.

Puis avec un méchant rire elle ajoute :

« En fait, tout sera plus facile, si elle se trouve à Blois. »

*

Finette frappe chez ses parents. Une fois. Deux fois. Enfin son père, Bertrand le Boiteux, entrouvre la porte, une chandelle à la main.

« Glorieuse mère de Dieu, murmure-t-il. Ma fille et la demoiselle du château. Entrez, entrez, asseyez-vous, je vais vous rallumer le feu. »

Dans la salle au sol couvert de paille, Éléonore s'assied sur un tabouret. Bertrand ranime les braises, et la mère, en chemise, arrive à son tour pour embrasser sa fille.

« Tu es là, tu es vivante : que le Seigneur soit loué, le Très Bon, le Très Miséricordieux ! et la demoiselle est là aussi, plus belle encore, un peu amaigrie, mais si belle... »

Le père Bertrand se retourne.

« Excusez la mère, elle ne sait plus ce qu'elle raconte. C'est l'émotion de vous voir, brusquement, la nuit, comme des revenantes, vous que l'on croyait mortes, ou emmenées au loin par les infidèles, ou capturées par les Anglais. Il y a tant de dangers sur cette Terre.

— Tout va bien, père, dit Finette. Calme-toi, nous allons très bien.

— Que se passe-t-il ici, au château ? demande Éléonore.

— Le Montcornet et notre comte Gascelin se préparent à tenir un siège devant les armées du roi. Depuis la fin des orages, qui ont beaucoup abîmé les vignes, l'ost du roi a quitté Orléans. Hier, ils étaient à Montcornet dont ils ont complètement brûlé le château, et ils se dirigent maintenant vers Blois.

— Et Thibaut ? »

Bertrand paraît ne point comprendre.

« Le chevalier Thibaut de Sauvigny, explique Finette.

— Tout ce que je sais, c'est qu'il n'est pas à Blois. Peut-être est-il avec le roi de France ? Ici, tout va mal. C'est Foulque qui dirige, et notre pauvre comte n'ose pas ouvrir la bouche. Partout on lève des taxes et des impôts qui sont contre la coutume. Pour vous donner un exemple...

— Bertrand, interrompt la mère. Regarde les pauvres petites. Elles dorment à moitié. Allez, venez vous coucher toutes les deux. »

*

Au point du jour, l'armée du roi de France se dirige vers Blois. Derrière les chevaliers qui entourent Louis le Gros, marchent les fantassins, les écuyers, les jongleurs et tous les serviteurs nécessaires à un long siège. Soudain Thibaut pousse un cri. Au loin, assise gracieusement en amazone, les cheveux au vent, la robe couleur de paon, galope une demoiselle.

« Éléonore », s'écrie Thibaut en détalant devant le roi de France.

Les deux jeunes gens s'arrêtent l'un près de l'autre. Tous deux se regardent sans dire un mot tant l'amour brûle fort en leur cœur, tous deux sont sur le point de défaillir de bonheur.

« Qu'est-ce qui te fait rire, chevalier ?

— De te voir. Je n'ai jamais eu de joie sans toi.

— Maintenant je ne te quitterai plus des yeux, de peur que tu m'abandonnes à nouveau.

— Demoiselle tendre, loin de toi mon cœur n'a cessé d'être tourmenté. »

Tous deux, resplendissants de joie, s'en retournent vers le roi. Louis s'étonne à la fois de la beauté de la demoiselle et de son allure négligée avec ses cheveux défaits. Il demande :

« Est-il convenable qu'une demoiselle comme vous, belle et charmante, coure si tôt la campagne ?

— Sire, ne vous emportez pas. C'est que depuis beaucoup de temps j'attends de revoir ce chevalier. »

Le roi sourit, puis se tourne vers Thibaut.

« Certes grande est la grâce de la demoiselle. Quoique l'heure ne soit pas à l'amour, mais à la prouesse.

— Ne vous inquiétez pas, sire, je chevaucherai à votre côté et jamais je ne m'éloignerai de vous. »

Le roi donne de l'éperon à son cheval, et l'ost s'ébranle à nouveau. Barnabé grommelle dans son coin :

« Qu'il se garde de faire folie.

— Eh quoi ! lui dit Ernaud le Fier, tu fais triste mine, l'ami. N'es-tu pas content de la joie de ton maître ? »

Barnabé soupire.

« C'est que la joie, chez mon maître, a d'étranges effets qui entraînent d'affreuses difficultés. »

Ernaud le dévisage avec surprise.

« Tu es un drôle d'écuyer. Parfois, il me semble que tu n'aimes guère la chevalerie. »

Barnabé fait une petite moue.

« La chevalerie, non. Mais j'aime mon maître. Sans moi, que deviendrait-il ? »

*

Sur la route d'Orléans, à quelques centaines de pas de Blois, Bertrand le Boiteux, à la tête d'un groupe de paysans armés de haches, scrute l'horizon.

« Le voilà, dit-il enfin.

— Comment le sais-tu ? demande un homme.

— Je vois la bannière rouge de saint Denis. »

Puis, jetant un coup d'œil sur le groupe dispersé et bavard de ses compagnons :

« Mettez-vous en rangs, le roi arrive. »

La petite troupe de Bertrand se range au milieu de la route en attendant l'ost royal. Enfin, lorsqu'au son des tambours, le sire Louis se rapproche, les paysans s'inclinent. Louis demande le silence aux musiciens et arrête son cheval.

« Sire, je me nomme Bertrand le Boiteux, paysan du comté de Blois. Avec mes compagnons nous venons mettre nos forces à votre service, car notre nouveau seigneur ne respecte plus la coutume.

— Et monsieur le curé, ajoute un autre, nous a dit de combattre pour la couronne de France. »

Louis le Gros regarde les paysans avec reconnaissance, puis il examine le château.

« C'est un château difficile à prendre. Nous mettrons des échelles contre les remparts, mais auparavant, il faut détruire cette barrière de pieux qui en protège l'accès. Bertrand, peux-tu t'en charger avec tes compagnons ?

— Comptez sur moi, sire, répond Bertrand. Nous nous battrons hardiment. »

*

Après la trêve du samedi et du dimanche, le combat reprend à l'aube. Les paysans, armés de massues et de bâtons, s'élancent vers la barrière de pieux. Pour les protéger des flèches, des pierres et des produits inflammables catapultés du chemin de ronde, les archers du roi menacent de leurs flèches toute personne qui apparaît en haut des remparts.

Quand les pieux sont enfin arrachés, les assiégeants s'avancent vers le château.

« Attention ! crie Bertrand le Boiteux. Méfiez-vous des trous recouverts de paille. Au fond se trouvent des pieux qui empalent par le derrière. »

Avec prudence les hommes du roi parviennent jusqu'à l'enceinte du château. Torticolis encourage de sa musique ceux qui font des mélanges de bois et de graisse pour mettre le feu à la muraille. Barnabé aide à porter une large échelle que l'on dresse contre le château. Puis, avec trois autres écuyers, à quatre de front, il escalade les barreaux. Mais lorsqu'il atteint le chemin de ronde, deux assiégés, brandissant chacun une fourche, repoussent les montants de l'échelle qui se renverse. Barnabé vole en l'air comme fétu de paille.

« Pourvu que je ne tombe pas sur un pieu », pense-t-il.

Il atterrit sur une herbe fraîche et roule habilement pour ne pas se casser une jambe.

« Barnabé, viens avec moi », lui crie aussitôt son maître sans lui laisser le temps de se remettre.

Thibaut rejoint la tour roulante. C'est une tour en bois, dont le dernier étage est plus élevé que l'enceinte du château. Dès que les paysans ont avancé cette tour, une vingtaine de chevaliers et d'écuyers l'escaladent. En haut, ils envoient quelques produits enflammés sur le chemin de ronde pour éloigner ou tuer leurs ennemis. Puis Thibaut abaisse le pont mobile et les chevaliers s'élancent en criant :

« Montjoie et saint Denis ! »

Les chevaliers de France se répandent sur les remparts, ferraillant âprement contre les assiégés. De la tour la plus proche, Foulque se rue en criant :

« À moi, sire de Montcornet ! »

Thibaut reconnaît son vieil ennemi, celui qui depuis toujours le méprise comme chevalier pauvre, celui qui veut épouser Éléonore, celui qui s'allie aux traîtrises de Rosamonde ; oui, de celui-là l'heure est venue de se venger.

« Suis-moi, Barnabé », s'écrie Thibaut.

Barnabé, une lance à la main, suit son maître sans plaisir. Bizarrement Foulque, au lieu d'attaquer Thibaut, disparaît dans la tour et appelle de l'autre côté :

« À moi, Montcornet ! »

Thibaut le poursuit, mais en traversant la tour, il remarque sur le sol le contour d'une trappe qu'il enjambe d'un grand pas.

— Le traître, se dit Thibaut, c'est par ce moyen déloyal qu'il espérait me vaincre. À moi, *Santacrux* ! »

À peine a-t-il poussé son cri de guerre qu'il entend un hurlement de Barnabé.

« Il est tombé dans la trappe, se dit Thibaut. J'aurais dû le prévenir. » Et il lui crie :

« Ne t'inquiète pas, Barnabé, je viendrai te chercher. »

Mais déjà Foulque s'approche, l'épée à la main.

« Puisque tu es toujours aussi fanfaron, lance-t-il à Thibaut, c'est le moment de montrer toutes les prouesses dont tu es capable. »

Les deux chevaliers disposent de peu d'espace pour manier l'épée. Ils reculent et avancent sur le chemin de ronde, se fendant, attaquant et se défendant tour à tour. Au pied du château, sur les enceintes, chevaliers et fantassins cessent tout combat pour suivre le duel. À la sortie du bourg, la tête levée vers les remparts, Éléonore ne cesse de prier :

« Mon Dieu, mon Seigneur, Toi qui es tout-puissant, sauve-le, je T'en prie, sauve-le. Je donnerai beaucoup d'argent aux pauvres, beaucoup de trésors à l'Église, mais je T'en prie, garde-le en vie. »

Rosamonde, debout dans sa robe écarlate sur le chemin de ronde de la deuxième enceinte, surveille aussi le combat. Qu'il est beau, le chevalier aux cheveux blonds ! Que sa silhouette est gracieuse et fière ! Non, elle ne peut souhaiter sa mort. Qu'il vive et que meure Éléonore. Ensuite, elle se chargera de lui faire oublier cette jeune sœur préoccupée par ses cheveux, ses rires et sa toilette.

Le duel dure longtemps. Chacun devine qu'entre ces deux chevaliers si preux, la première inattention, la première fatigue sera décisive. Enfin Thibaut s'écrie :

« À moi, *Santacrux* ! »

Avec une rapidité surprenante, il bondit vers son adversaire et le frappe à l'épaule. L'épée fait sauter les mailles du haubert et pénètre dans la chair. Foulque chancelle, tombe sur les genoux, puis s'écroule sur le chemin de ronde. Dix chevaliers se précipitent vers lui et emportent le jeune seigneur vers sa chambre. D'autres, pleins de fureur, se jettent sur Thibaut. Attaqué sur sa droite et sur sa gauche sans pouvoir reculer, il remet *Santacrux* au fourreau et déclare :

« Je suis votre prisonnier. »

11

Le comte de Blois

Dans la chambre réservée aux invités de marque, le dos soutenu par de gros oreillers pourpres, Foulque geint dans son lit. Par la fenêtre entrouverte, parvient le vacarme des marteaux qui redressent heaumes et boucliers.

« Ferme la fenêtre, ce bruit me fend la tête de douleur. »

Rosamonde referme la croisée, et s'approche à nouveau de son complice.

« Approche-toi encore, murmure Foulque. Et écoute-moi bien. Ma blessure est grave et les médecins ici ne savent pas la guérir. La seule personne qui puisse me venir en aide, c'est le Ruffin qui demeure près du château de Montcornet, sur la colline où se dresse le gibet des pendus. Va le voir de ma part et demande-lui un remède. Il en trouvera.

— C'est un médecin ?

— Non, c'est un sorcier. Il entretient des rapports avec le Diable et connaît beaucoup de recettes, bonnes et efficaces. Fais vite. »

*

Avant de quitter le château, Rosamonde se rend au donjon, demande la clef aux gardes et descend dans la prison. Assis en face d'une meurtrière, le visage éclairé par la douce lumière du soir, le chevalier est beau comme le jour. Les yeux clos, il somnole, le sourire aux lèvres. Puis, doucement, comme enchanté par ses rêveries, il fredonne :

> « *Quand je vois ma mie,*
> *Mon cœur est ravi,*
> *Quand sourit ma mie...* »

Rosamonde devient livide. Ainsi, même en prison, même menacé de mort, le chevalier de Sauvigny continue de songer à Éléonore. Et la jeune fille sent grandir dans son cœur son projet abominable.

*

Lorsque sonnent les matines et que tous dorment

au château, Gui, couché dans la loge près du pont-levis, entend des pas légers sur les pavés de la cour. Intrigué, le jeune portier se lève de son lit de sangles, prend la chandelle et sort de la tour. Il aperçoit Rosamonde, dans son manteau écarlate, qui se dirige vers la porte du souterrain, l'ouvre et disparaît.

« Cette demoiselle-là, se dit-il, est une bien étrange personne. Je pense qu'il est plus sage d'oublier ce que j'ai vu. »

*

Le souterrain débouche dans un bois proche qui se trouve en lisière du campement du roi. Rosamonde entend une sentinelle qui éternue très fort et se plaint à son voisin :

« Les nuits sont fraîches. Vivement que ce siège soit terminé et que nous puissions rentrer chez nous.

— Je ne suis pas de ton avis. Rien n'est plus ennuyeux que de passer l'hiver enfermé au château. »

À la lumière des étoiles, Rosamonde traverse le bois rapidement et débouche sur une ferme isolée. Elle entre dans l'écurie, détache un cheval et s'en va au galop. Le vent souffle fort, mais Rosamonde est bien protégée par son manteau et ses gants fourrés d'hermine.

Lorsqu'elle arrive sur les terres du seigneur de

Montcornet, le spectacle est grandiose et terrifiant. Sous un ciel strié de nuages noirs, le château, incendié par l'armée du roi, montre quelques poutres noircies dans un amas de décombres. Tout autour, les champs sont brûlés, les maisons dévastées, quelques masures rafistolées avec des branchages et des pieux. En haut de la colline, accroché au gibet, un pendu se balance au vent du nord. Non loin de là, sur la pente, une maison très basse laisse filtrer un rai de lumière.

Rosamonde attache son cheval à un tronc calciné et monte la colline. Lorsqu'elle pousse la porte de la maison, elle réprime un sursaut de frayeur, tant est étrange le visage de Ruffin, les yeux rougis, le teint noir et les cheveux blancs.

« Je viens de la part de Foulque de Montcornet », dit-elle.

L'homme émet un petit rire grinçant.

« Foulque, une tête bien légère et bien prétentieuse.

— Il risque de mourir car il est blessé près du cœur. Il demande que tu me donnes pour lui un remède qui lui rendra la vie. »

L'homme reste impassible. Rosamonde le dévisage et ajoute avec autorité :

« Je voudrais aussi un poison pour faire mourir une demoiselle. Je te donnerai beaucoup d'argent. »

Alors le sorcier reprend ses ricanements et répond :

« Je ne peux faire en même temps un remède pour donner la vie et un autre pour donner la mort. Ce sont des préparations très délicates et contradictoires. Tu dois choisir l'une d'entre elles. »

Rosamonde se tait, perplexe, et réfléchit un moment, puis déclare d'une voix sourde :

« Je choisis le remède qui donne la mort.

— Pour qui est-ce ? demande le sorcier imperturbable.

— Pour une demoiselle de quatorze ans.

— Comment est-elle ?

— Blonde, belle, resplendissante.

— A-t-elle une émeraude au doigt ? »

Rosamonde s'inquiète :

« Comment la connais-tu ?

— Je l'ai rencontrée, un jour dans la forêt. Peu importe. Apporte-moi une boucle de ses cheveux et je la ferai mourir.

— Comment ?

— Je mélangerai ses cheveux à une figurine qui lui ressemble, et quand je percerai la figurine au cœur, elle mourra. »

Rosamonde ne peut s'empêcher de frissonner, tant la voix métallique du sorcier est étrange.

« Je reviendrai demain ou après-demain, dit Rosamonde, et te récompenserai comme tu le mérites. »

*

Pendant que Rosamonde prépare sa vengeance, Finette tente de réconforter sa maîtresse.

« Ma douce demoiselle, vous pleurez trop longtemps. Vos larmes ne le feront pas revenir. »

Assise sur la paillasse qui recouvre le lit de Finette, Éléonore relève ses blonds cheveux qui cachaient son visage.

« Qu'en ont-ils fait ? L'ont-ils tué ? S'il est mort, j'en mourrai immédiatement de douleur.

— Maîtresse, cessez de vous tourmenter. J'ai un moyen de me renseigner. J'y vais de ce pas. »

*

Il fait encore nuit. Bien dissimulée sous un manteau couleur de terre, Finette avance prudemment dans l'ombre des maisons. Malgré son entrain habituel, elle a peur de l'obscurité qui apporte l'inquiétude. Finette rampe le long de la prairie, arrive près du pont-levis et siffle comme un merle. Le portier ne réagit pas. Au bout d'un certain temps, cependant, surpris par l'insistance de l'oiseau, Gui sort de sa somnolence et entrouvre la lourde porte. De l'autre côté du fossé, Finette, couchée par terre, chuchote :

« C'est moi, Finette. Je suis venue te dire que je danserai avec toi à la prochaine fête.

— Tu danseras avec moi, à la prochaine fête ? répète Gui, passablement surpris par cette annonce nocturne. J'ai grande allégresse de ce que tu me contes ; mais pourquoi venir à cette heure ?

— Gui, est-ce que tu es content que je sois venue ?

— Bien sûr.

— Alors tu veux bien me faire plaisir ?

— Pour sûr.

— Dis-moi ce qu'est devenu le chevalier Thibaut.

— Ah, coquine ! fait Gui qui comprend enfin la raison de la venue de Finette. Voilà pourquoi tu veux bien qu'on danse tous deux ! Pour que ta maîtresse ne s'inquiète pas ! Elle n'a pas de souci à se faire : le chevalier est bien tranquille, bien sage et bien gardé dans la prison du donjon.

— Si je te promets d'aller dans la forêt avec toi, lui feras-tu parvenir une lettre ?

— Ma mie, je ferai tout ce que tu voudras.

— Je savais que je pouvais compter sur toi. À demain, dit Finette en s'enfuyant.

— Sois prudente. Si une sentinelle te voit, elle te tuera. »

Gui referme la porte, tout souriant de plaisir,

lorsqu'il sursaute : devant lui, les yeux étincelants, se tient Rosamonde.

« Tu complotes avec l'ennemi ? » demande-t-elle.

Gui devient blême.

« C'est que... ce n'est pas l'ennemi... c'est Finette... c'était juste pour danser...

— Et pour porter une lettre au chevalier Thibaut ! Ta conduite est celle d'un traître.

— Ah ! avoue Gui, décontenancé, vous avez tout entendu. »

Puis il se met à genoux devant Rosamonde.

« Je vous en supplie, pardonnez-moi. J'ai agi ainsi, par amour et non par trahison. Je suis prêt à vous servir comme vous le désirez.

— Je ne te ferai pas revenir sur ta promesse : tu porteras cette lettre au chevalier de Sauvigny.

— Je vous remercie, murmure Gui.

— Seulement, j'exige que tu demandes, avec la prochaine lettre, une boucle de cheveux d'Éléonore, afin que le chevalier de Sauvigny ne puisse douter de sa provenance.

— Oui, oui, certainement, c'est une bonne idée, assure Gui, encore tout effrayé.

— Alors, tu me donneras et la lettre et la boucle de cheveux. »

Gui reste un moment indécis et muet. Sans attendre sa réponse, Rosamonde s'éloigne en disant :

« Si tu ne m'obéis pas, on te coupera les mains pour trahison et alliance avec l'ennemi. »

Le malheureux jeune homme pousse une longue plainte et médite à haute voix :

« Mon Dieu, quel malheur que d'être portier ! Ma foi, je ressemble à un cheval, qui un jour appartient à l'un, un jour appartient à l'autre, un jour doit porter, l'autre jour combattre la même personne. Que la glorieuse mère de Dieu ait pitié du pauvre Gui. »

*

La nuit suivante, le ciel est magnifique, étincelant d'étoiles. La lune, toute ronde, projette sur le camp l'ombre du château. À la lisière, les sentinelles font les cent pas en se frottant les mains pour se réchauffer, ou bien somnolent, le dos contre un arbre. Entre les tentes d'où sortent les ronflements réguliers des hommes endormis, se promène Torticolis. Il chantonne, et son humeur étant de joie et de liesse, il chante de plus en plus fort. Un chevalier, tout nu, emmitouflé dans sa couverture, sort brusquement de sa tente.

« Hé, le jongleur, tais-toi donc. Tu empêches tout le monde de dormir.

— Pourtant je chante une berceuse.

— Berceuse ou autre, cela fait du bruit et cela nous réveille. »

Torticolis penche un peu plus la tête, d'un air navré.

« C'est que, lorsque la lune est ronde, la musique monte en moi comme une haute vague, qui m'emporte, me transporte, m'entraîne, me ravit, me... »

Le chevalier repasse une tête furieuse par l'ouverture de la tente.

« Si tu dis encore un mot, bouffon, je t'assomme. »

Torticolis fait un petit mouvement de tête et murmure :

« Rustre ! Ignorant ! Insensible ! Oreille de pierre ! »

Puis, silencieusement, il se dirige vers le bois. Là, au centre d'une clairière, il prépare sa vielle et s'apprête à chanter un hymne à la lune, lorsqu'il entend un froissement de feuilles. Aussitôt il se cache à l'ombre d'un buisson et épie le sous-bois. À la clarté lunaire, dans son manteau écarlate doublé d'hermine, s'avance la sœur aînée du comte de Blois. À son visage sombre, à son regard fixe et comme égaré, Torticolis pressent un projet abominable.

« La jalousie a rendu cette garce folle, se dit-il. Mais où se dirige-t-elle de ce pas implacable ? »

Et, le cœur empli d'appréhension, il suit la messagère nocturne.

À la ferme, il prend le seul cheval restant, un roncin faible et décharné, et, à bonne distance, poursuit la cavalière, dont le manteau écarlate flotte au vent. Tous deux atteignent le territoire calciné de Montcornet. Dans ce paysage déserté, la fumée d'une cabane, près du pendu sur la colline, est le seul signe de vie. Pour y atteindre, le chemin est si escarpé et pierreux que Rosamonde attache son cheval dans la plaine à l'arbre calciné, et gravit la pente d'un pas rapide.

« La méchanceté la rend infatigable », se dit Torticolis déjà épuisé par cette chevauchée nocturne.

Lorsqu'il arrive près de la porte de la cabane, il écoute attentivement. Après un silence, un homme à la voix éraillée déclare :

« Les beaux cheveux, les beaux cheveux blonds ! Que me donneras-tu pour qu'ils soient soumis à la méchante action du Diable ?

— Voilà un diamant appartenant à ma mère. »

Un silence se fait pendant lequel le Ruffin examine la bague.

« Cela ira, dit-il en ricanant. Maintenant pars. J'ai besoin d'être seul pour malaxer ma figurine.

— Ne me dupe pas, lance Rosamonde d'un ton menaçant. Si ma sœur ne meurt pas, je te poursuivrai de ma colère jusqu'en enfer. »

Torticolis a juste le temps de se dissimuler derrière le mur pour éviter Rosamonde qui sort à grands pas et qui redescend la colline. Torticolis fait

plusieurs signes de croix pour se protéger contre le
Malin et, de son pas léger, s'approche de l'étroite
fente qui sert de fenêtre. Il aperçoit alors l'homme

aux cheveux hirsutes, aux oreilles velues, aux longues mains, penché sur une motte de glaise qu'il malaxe avec les cheveux blonds. Avec une dextérité surprenante, malgré ses ongles fourchus, il fabrique la petite statue d'une demoiselle ressemblant étrangement à Éléonore. Puis il se lève et va chercher, sur un coffre poussiéreux et encombré d'objets, une longue aiguille d'acier. Il l'admire un moment avec un sourire sarcastique, tout en marmonnant des paroles maléfiques. Puis il se dirige vers la statuette et s'apprête à la percer, lorsque s'élève le chant de Torticolis :

« Saint est le Seigneur, Dieu qui créa le ciel, la Terre et l'enfer, Père tout-puissant, à qui est rendu tout hommage et toute gloire »

La voix de Torticolis s'élève dans la nuit, pure, vibrante, cristalline, accompagnée par les doux accords de la vielle. En entendant cette divine mélodie, cette harmonie de la musique qui permet de connaître l'ordre de toutes choses, cet art privilégié par Dieu, Ruffin le sorcier se met à chanceler. Ses membres s'agitent, ses mains tremblotent, ses dents claquent. Ses bras se tendent pour repousser la musique, son ennemie invisible, et il s'écrie :

« Satan, je t'en supplie, viens à mon secours. »

La voix de Torticolis devient plus puissante, plus légère, plus émouvante, elle élève un mur de beauté sonore pour rejeter l'action du Diable. Pendant un moment, entre le chanteur et le Malin, se joue le combat du ciel et de l'enfer. Puis Ruffin pousse une longue plainte, lâche l'aiguille, chancelle et renverse la statue qui se brise. Le sorcier titube et va s'accroupir dans le coin le plus sombre de la pièce.

*

Rentrée au château, Rosamonde sent un froid glacial envahir son corps et une extrême agitation bouleverser son esprit. Pour se calmer, elle monte arpenter les remparts, mais son trouble persiste. Dès qu'elle songe à Éléonore, elle voit le Diable s'approcher d'elle avec ses grandes mains avides et son rire infernal. Rosamonde tend les mains vers lui et s'exclame :

« Oui, je t'appartiens. Mon royaume sera l'enfer, ma lumière les hautes flammes, ma musique les gémissements. »

Secouée par des rires tour à tour ravis et effarés, Rosamonde monte en haut des remparts et pousse de longs cris indistincts et confus. Les cris réveillent les dormeurs du château et du bourg. Ils remettent rapidement leurs chemises et, par la fenêtre ou sur le pas de leur porte, dévisagent, ahuris, la demoiselle du château qui arpente le chemin de ronde en hurlant. Beaucoup font le signe de croix, tant est inquiétante cette silhouette au manteau écarlate, qui se détache sur le ciel étoilé.

Gascelin monte sur les remparts. Rosamonde arpente le chemin de ronde en dénouant nerveusement ses longues nattes noires.

« Calme-toi, sœur, dit-il d'une voix douce. Tu parles comme une démente. »

Rosamonde pousse de petits cris en défaisant toujours sa longue natte noire.

« Tu te trompes. C'est maintenant que je dis la vérité. »

Et elle se met à tournoyer sur elle-même en tendant ses bras comme des ailes écarlates.

« La vérité, c'est que t'ai bien trompé. Thibaut n'a pas fait mourir notre père, jamais il ne fit de mal. C'est le plus preux des chevaliers mais il aimait Éléonore. »

Elle s'approche de son frère et parle d'une voix sourde et précipitée :

« Mais maintenant, Éléonore est morte. Le Diable l'a emportée. J'ai fait un pacte avec lui. Et moi, moi je vais épouser le chevalier de Sauvigny. »

Dans l'esprit de Gascelin les idées se bousculent en désordre tandis que la honte rend vermeil son visage. En un instant, il comprend toute la perfidie de sa sœur, mais aussi la sottise et la cruauté de ses propres actions. Bouleversé par le remords, il reste un long moment silencieux. Soudain, comme délivré d'un maléfice, le timide, le craintif et le docile Gascelin sent monter en lui un nouveau courage. Et tandis que Rosamonde continue de tournoyer sur le ciel sombre, il dit avec une calme autorité :

« Puisque tu as fait un pacte avec le Diable, tu seras brûlée comme sorcière, et tes cendres seront dispersées au vent. »

*

Trompettes et tambours sonnent la reddition du château. Sous un pavillon surmonté de l'oriflamme de saint Denis, Louis VI, richement vêtu d'un manteau de soie doublé d'hermine, attend la soumission du comte, son vassal. Autour de lui se pressent ses compagnons. À quelques pas de la tente royale, Éléonore se mord la lèvre d'inquiétude et prie :

« Mon Dieu, mon Dieu, faites qu'il soit vivant !

— Ma demoiselle, cessez de vous morfondre ainsi, à quelques pas du roi de France.

— Prépare-toi, Finette, à me retenir. Si Thibaut n'est pas dans le cortège, je vais m'évanouir. »

Bientôt le pont-levis s'abaisse. Gascelin s'avance, suivi de ses chevaliers. Ernaud le Fier, le plus grand des barons du roi, commente le cortège :

« Je vois Gascelin de Blois, mais je n'aperçois pas Foulque de Montcornet.

— Un messager m'a fait savoir qu'il était mort hier soir de sa blessure, explique Louis le Gros.

— Parmi les chevaliers, je reconnais Thibaut de Sauvigny.

— Ah ! » crie Éléonore, qui s'évanouit.

Le roi regarde, amusé, la demoiselle allongée sur l'herbe.

« Sire, explique Finette en s'inclinant, c'est le bonheur qui l'a renversée. À cause du chevalier Thibaut. »

Déjà Gascelin s'incline devant le roi de France.

« Sire, déclare-t-il, je viens me soumettre à votre volonté.

— Jure, dit Louis VI, de faire la paix à jamais avec le roi de France, de faire réparation de tous les dégâts commis par ton armée, et de relever toutes les maisons abattues.

— Sire, j'ose vous soumettre une requête.

— Parle.

— Sous l'influence de ma sœur Rosamonde, par lâcheté et par aveuglement, j'ai commis beaucoup d'horribles méfaits. Pour me faire pardonner ces fautes, je voudrais, en pénitence, partir pour la Terre sainte. »

Le roi sourit.

« Dieu se réjouit de ceux qui partent lutter contre les infidèles.

— C'est pourquoi, sire, je vous rends le comté de Blois. Confiez-le à un chevalier qui en sera digne. Quant à moi, j'accepte de donner ma sœur Éléonore au chevalier Thibaut de Sauvigny. Que tous deux s'aiment dans la foi et la fidélité, et qu'ils servent Dieu et le roi de France.

— Qu'on aille me chercher un fétu de paille », ordonne le roi.

Un écuyer part en courant vers un champ non encore labouré, et ramasse sur le sol un brin de chaume. Il revient aussi vite qu'il est parti. Le roi saisit le fétu et se tourne vers Thibaut.

« Chevalier Thibaut de Sauvigny, toi qui as mis ton corps en péril de mort pour me sauver la vie, et as ainsi prouvé ta vaillance et ta fidélité...

— Ah ! soupire Éléonore qui retrouve ses esprits, où suis-je ? »

Un silence gêné progressivement s'installe sous le pavillon royal. Éléonore s'assied, passe sa main sur son front, aperçoit les barons tournés vers elle.

« Vous étiez en train de parler, sire », dit-elle en sautant sur ses pieds.

Le roi Louis attend un moment qui paraît fort long au chevalier, puis lui tend le fétu de paille en disant :

« Thibaut de Sauvigny, je te fais comte de Blois. Sois fidèle à ton seigneur le roi que Dieu soutient de Sa puissance. »

Thibaut s'empare du fétu.

« Sire, je vous promets de vous garder parfaitement l'hommage que je vous ai prêté, de vous être fidèle et de vous rendre le service que je vous dois pour maintenir la paix de Dieu. »

*

Par la fenêtre, Éléonore regarde la fumée d'un bûcher qui se disperse dans le ciel, la foule qui s'éparpille dans les ruelles. De Rosamonde de Blois, il ne reste plus que quelques cendres autour d'un poteau noirci.

« Elle ira certainement en enfer, déclare Finette.

— Monsieur le curé pense qu'elle ira peut-être au purgatoire, qu'il faudra faire dire beaucoup de messes pour elle afin que Dieu lui pardonne.

— Quant au sorcier Ruffin, qu'on a pendu hier, je suis certaine qu'il est en enfer. »

Dans la plaine, les trompettes sonnent le départ de Louis le Gros pour Orléans. Mais ce qui intrigue Éléonore, c'est un cavalier qui s'approche du château, suivi par quelques mules lourdement chargées.

« Finette, devine qui vient nous voir ?

— Comment pourrais-je le savoir ? dit la servante en pliant des robes et des bliauds dans un coffre.

— Notre marchand, maître Guillaume.

— Vite, allons admirer ses tissus, propose Finette en laissant retomber le couvercle du coffre.

— Nous le retiendrons jusqu'au mariage », conclut Éléonore.

Et les deux jeunes filles quittent en courant la chambre des dames.

*

Thibaut, le nouveau comte de Blois, sans se soucier des compagnons et serviteurs qui vont et viennent, arpente la grande salle du logis. Il songe à l'importante journée qui l'attend. Après le déjeuner, il recevra l'hommage de ses vassaux qui viendront s'agenouiller et se lier à lui par un baiser. Puis il donnera le fétu qu'il fait rouler dans sa main à Ernaud le Fier, en lui accordant en fief sa terre de Montcornet. Il lui demandera de reconstruire le château en pierre, de rebâtir les maisons détruites, de replanter les champs incendiés. Il songe aussi à tous les manteaux, robes fourrées et bons chevaux qu'il donnera à ses chevaliers, aux deniers qu'il distribuera aux pauvres, au repas qu'il offrira à tous. Il songe enfin à son écuyer.

« Pauvre Barnabé, je l'ai oublié », constate-t-il, tout confus.

Et il interpelle un valet :

« Demande aux gardes de sortir de la deuxième tour mon écuyer qui doit se mourir de faim, de soif et de colère. »

Pourtant c'est un Barnabé radieux, quoique fort sale, qui apparaît peu de temps après.

« Par Dieu, s'étonne Thibaut en voyant la belle

276

humeur de son écuyer, il te plaît donc tant d'être enfermé au fond d'une tour ? »

Barnabé regarde de tous côtés, d'un air méfiant, les chevaliers et serviteurs qui entourent son maître. Thibaut devine que son écuyer a un secret à lui confier et tous deux se dirigent vers la fenêtre.

« Qu'as-tu à me dire de si important ? demande Thibaut.

— C'est que... je suis riche.

— Tu parles comme un bourgeois, fait Thibaut avec une petite moue de dédain.

— Bourgeois ou non, je suis content. Regardez ce que j'ai trouvé dans la tour. »

Et Barnabé sort de son manteau une vingtaine de colliers et bracelets en or.

« C'est de l'or. J'en ai déjà vu avec le mahométan.

— Un trésor ! s'exclame Thibaut à haute voix. Barnabé a trouvé un trésor dans la tour !

— Vous n'allez pas me le prendre ! se lamente Barnabé qui devient blanc comme un céleri.

— Que ferais-tu de tant d'or ? Cela t'empêche-rait de dormir. D'ailleurs l'argent est fait pour être dépensé. Je ferai construire une église pour remercier Dieu de tous Ses bienfaits. Nous y élèverons un tombeau pour Raoul, le vaillant comte de Blois. Je vais, de ce pas, l'annoncer à monsieur le curé. »

Barnabé hoche la tête d'un air consterné, les yeux

embués de larmes. Torticolis, en quelques cabrioles, s'approche de lui.

« Tu n'es pas fait, Barnabé, pour la chevalerie. Je l'ai lu dans tes yeux depuis longtemps.

— Je sais bien que toutes ces histoires d'honneur et de générosité sont dépourvues de bon sens. Mais si je m'en vais, qui protégera mon maître quand il est tout joyeux ? »

*

« Mais ne bougez pas comme cela, s'exclame Finette. Je n'arrive pas à tresser vos nattes avec les bandelettes de soie.

— Le temps me paraît si long ! s'impatiente Éléonore. Tu as commencé il y a au moins une heure.

— Un petit quart d'heure à peine. »

Éléonore se retourne brusquement, arrachant la natte des mains de Finette.

« Crois-tu qu'il m'aimera toujours ? »

Finette rit.

« Si vous vous agitez encore, vous serez en retard pour votre mariage et il ne vous aimera plus du tout. »

Pour rester tranquille, Éléonore regarde attentivement tous les beaux vêtements qui sont accrochés sur des perches : les uns de brocarts d'or ou d'argent, les autres de soie épaisse, d'autres encore de soie brochée de fleurs, ou de crêpe de Chine, tous, tissus d'Orient qui scintillent dans la lumière.

« J'ai faim, dit Éléonore. Ne pourrais-tu m'apporter une petite pomme bien rouge ?

— Ma demoiselle chère, vous savez bien qu'on se marie à jeun. »

Lorsque Éléonore est coiffée, elle jette un rapide coup d'œil satisfait sur ses cheveux dorés, sur sa peau blanche comme neige, et se dépêche d'enfiler sur sa chemise son pelisson d'hermine, son bliaud en soie couleur de paon dont les manches traînent jusqu'à terre. Elle serre sa taille avec une large et somptueuse ceinture décorée de pierres précieuses. Enfin elle attache son manteau sur l'épaule avec une agrafe ornée d'un saphir. Puis elle enfile d'étroits souliers pointus en cuir de Cordoue brodé.

*

Torticolis, suivi d'une vingtaine de jongleurs jouant vielles et flûtes, ouvre le cortège qui se rend à l'église. Le chemin est couvert de fleurs. Éléonore s'avance sur une mule blanche, dont les grelots tintinnabulent. Thibaut chevauche auprès d'elle. Partout se pressent les vassaux venus de tous les coins du comté. Rires et bavardages se mêlent aux chants des jongleurs.

« Mais qu'as-tu, Barnabé ? dit maître Guillaume, tu parais soucieux.

279

— C'est que je vois mon maître qui a l'air tellement heureux. »

Maître Guillaume s'étonne.

« Voilà une raison de se réjouir plutôt que de s'inquiéter.

— C'est que le comte Thibaut de Blois est un peu particulier, explique Barnabé. C'est pourquoi il a besoin de mon aide. »

Devant les portes closes de l'église, le prêtre attend les fiancés qui bientôt le rejoignent. Le silence se fait progressivement et on entend distinctement :

« Oui, Éléonore, je te prends pour femme.

— Oui, Thibaut, je te prends pour mari. »

Des murmures réjouis parcourent l'assistance après cet instant solennel. Thibaut tient dans sa main droite la main droite de sa femme. Puis il saisit l'anneau d'or posé sur le livre du prêtre et le passe successivement à trois doigts de la main droite d'Éléonore en disant : « au nom du Père... au nom du Fils... au nom du Saint-Esprit ». Enfin il met définitivement l'anneau à un doigt de la main gauche. Pendant ce temps, le prêtre élève l'encensoir, l'agite sur l'anneau puis devant les deux époux. Les portes de l'église s'ouvrent, et tous entrent pour chanter la messe.

*

Les cloches carillonnent pour la sortie de l'église. Les deux époux, le cœur en joie et en liesse, sourient à tous, et distribuent des deniers aux pauvres qui attendent là, en grand nombre. C'est alors qu'un petit garçon tout essoufflé s'approche de Barnabé.

« Où se trouve le comte de Blois ?

— Là, au milieu des mendiants. Que lui veux-tu ?

— J'ai un cadeau pour lui. De la part d'Hadelize, de la forêt de Biroquie. Elle était très pressée car elle devait aller immédiatement en Terre sainte pour guérir un croisé.

— Montre ce cadeau », s'impatiente Barnabé.

Le petit garçon ouvre une main. Dans sa paume se trouve une petite galette à moitié écrasée, toute collante de sueur. Barnabé fait la grimace.

« Qu'est-ce que c'est que cette bouillie ?

— Une galette toute dorée. Le comte doit la manger pour ne plus faire de bêtise quand il est joyeux. C'est ce qu'elle a dit, très exactement.

— Donne-moi la galette. Je vais la lui porter. »

Barnabé s'empare de la petite galette et bouscule la foule qui entoure les mariés.

« Laissez-moi passer ! crie-t-il. Mais laissez-moi passer ! »

En donnant coups de coude et coups de pied, Barnabé arrive jusqu'à Thibaut.

« Sire, dit-il, ouvrez la bouche. »

Thibaut s'exécute en riant. Barnabé lui fourre la galette dans la bouche, sans explication. Thibaut l'avale et déclare :

« C'est très bon. Qu'est-ce que c'était ?

— Un cadeau d'Hadelize », explique Barnabé en riant.

Les époux sont happés par la foule, et l'écuyer rejoint maître Guillaume, des larmes de joie aux yeux.

« Je quitterais volontiers la chevalerie pour devenir marchand.

— Tu abandonnerais ton maître ?

— Il n'a plus besoin de moi maintenant.

— Alors reste à mon service, mon garçon. J'apprécie ta mémoire. Et puis tu as l'âge de courir les routes. Moi j'ai celui de faire les comptes à Paris. »

Maître Guillaume prend un air grave et ému.

« Observe bien, Barnabé, ce qui se passe ici. Regarde comme ils sont beaux, le comte et la comtesse de Blois. Regarde comme elle est magnifique, cette fête de la chevalerie. Inscris-la bien dans ta mémoire. En ville, tu n'en verras plus jamais de semblable. »

La mariée s'échappe de la horde des mendiants et monte sur sa mule harnachée de soie couleur de paon, tandis que Thibaut saute sur son cheval. Côte à côte, tous deux se dirigent vers le château. Devant eux les jongleurs font des pirouettes et Torticolis chante :

> *« La belle mariée va passer :*
> *N'oubliez pas de la saluer,*
> *Sur ses blonds cheveux jetez*
> *De fraîches fleurs parfumées. »*

Le soleil caresse les fleurs qui tourbillonnent. Le vent balance les grands draps rouges, jaunes, bleus et verts qui pendent aux fenêtres des maisons, aux croisées du château et qui étincellent dans la lumière. Autour des mariés, dans leurs plus beaux atours, dames et demoiselles, chevaliers et paysans, enfants et vieillards applaudissent gaiement leurs nouveaux seigneurs. Éléonore sourit à tous, aussi rayonnante que le soleil. Alors, les yeux brillants d'émotion, Thibaut lui prend la main et murmure :

« Jamais Dieu ne me fit si heureux. »

ODILE WEULERSSE

Odile Weulersse, née à Neuilly-sur-Seine, est à vingt ans diplômée de l'Institut des sciences politiques, puis agrégée de philosophie en 1969. D'autres intérêts encore la sollicitent : à l'université de Paris IV Sorbonne où elle devient maître de conférences, elle enseigne sur le cinéma et écrit des scénarios pour la télévision. Enfin, quand elle se fait romancière pour conter aux enfants des aventures du passé, c'est sur une documentation sans faille qu'elle bâtit son récit, plein de vie, évocateur comme un film.

TABLE

Composition JOUVE - 53100 Mayenne
N° 294762J
Imprimé en Italie par G. Canale & C. S.p.A. - Borgaro T.se (Turin)
Dépôt éditeur n° 82708
32.10.1883.1/11 - ISBN : 978-2-0132-1883-2
Loi n° 49-956 du 16 juillet 1949 sur les publications destinées à la jeunesse
Dépôt légal : janvier 2007